Part 4
総復習しよう

Recipe

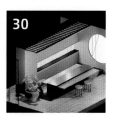

本書に関するお問い合わせ

この度は小社書籍をご購入いただき誠にありがとうございます。小社では本書の内容に関するご質問を受け付けております。本書を読み進めていただきます中でご不明な箇所がございましたらお問い合わせください。なお、ご質問の前に小社Webサイトで「正誤表」をご確認ください。最新の正誤情報を下記のWebページに掲載しております。

本書サポートページ　https://isbn2.sbcr.jp/16236/

上記ページのサポート情報にある「正誤情報」のリンクをクリックしてください。なお、正誤情報がない場合、リンクは用意されていません。

ご質問送付先
ご質問については下記のいずれかの方法をご利用ください。

Webページより

上記のサポートページ内にある「お問い合わせ」をクリックしていただくと、メールフォームが開きます。要綱に従ってご質問をご記入の上、送信してください。

郵送

郵送の場合は下記までお願いいたします。

〒105-0001
東京都港区虎ノ門2-2-1
SBクリエイティブ　読者サポート係

サンプルのダウンロード

本書の解説中で使用しているサンプルファイルは、一部を除き以下のサポートページよりダウンロードできます。解説に使用しますので、あらかじめダウンロードしておいてください。

本書サポートページ　https://isbn2.sbcr.jp/16236/

- ■ Blenderロゴは Blender Foundation が権利を有します。
- ■ 本書では Windows 11 と Blender 3.6LTS（2023年8月の最新バージョン）の環境を使用しています。異なる環境では画面や入力キーなどが一部異なる可能性がございます。あらかじめご了承ください。
- ■ 本書内に記載されている会社名、商品名、製品名などは一般に各社の登録商標または商標です。本書中では®、™マークは明記しておりません。
- ■ 本書の出版にあたっては正確な記述に努めましたが、本書の内容に基づく運用結果について、著者およびSBクリエイティブ株式会社は一切の責任を負いかねますのでご了承ください。

Part | **1**

基本操作を
マスターしよう

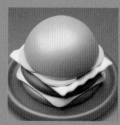

Part1では、モデリングからレンダリングまでの基礎を学びます。
このパートでBlenderで3Dシーンを作成するための基礎の流れをし
っかり身につけましょう。

Part

1

この章で学ぶこと

制作の流れ

Blenderで3Dシーンを作成するための制作の流れを見てみましょう。

3Dシーンの作成は「モデリング❶」「マテリアル設定❷」「ライティング❸」の3つの要素から構成されます。形を作り、質感を決めた後、光を当ててカメラで撮影するというイメージです。

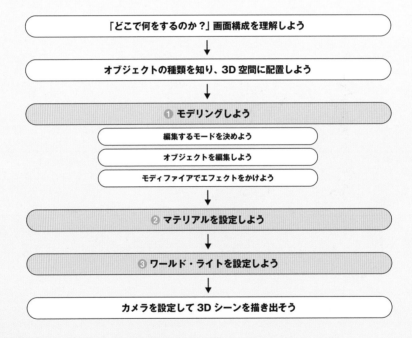

```
┌─────────────────────────────────────────────┐
│   「どこで何をするのか?」画面構成を理解しよう   │
└─────────────────────────────────────────────┘
                      ↓
┌─────────────────────────────────────────────┐
│   オブジェクトの種類を知り、3D空間に配置しよう   │
└─────────────────────────────────────────────┘
                      ↓
┌─────────────────────────────────────────────┐
│            ❶ モデリングしよう                  │
│     ┌───────────────────────────┐            │
│     │      編集するモードを決めよう      │            │
│     └───────────────────────────┘            │
│     ┌───────────────────────────┐            │
│     │      オブジェクトを編集しよう      │            │
│     └───────────────────────────┘            │
│     ┌───────────────────────────┐            │
│     │  モディファイアでエフェクトをかけよう │            │
│     └───────────────────────────┘            │
└─────────────────────────────────────────────┘
                      ↓
┌─────────────────────────────────────────────┐
│            ❷ マテリアルを設定しよう            │
└─────────────────────────────────────────────┘
                      ↓
┌─────────────────────────────────────────────┐
│         ❸ ワールド・ライトを設定しよう          │
└─────────────────────────────────────────────┘
                      ↓
┌─────────────────────────────────────────────┐
│      カメラを設定して3Dシーンを描き出そう       │
└─────────────────────────────────────────────┘
```

モデリングに至るまでに、まずBlenderの画面ユーザーインターフェースの理解をしていきましょう。また、Blenderで扱う「オブジェクト」の種類についても知る必要がありますね。

そして、作業スペースにオブジェクトを配置して「モデリング」を行う際に、Blenderには様々な編集の「モード」があることを理解しておきます。

様々な編集手法の「移動」・「回転」・「拡大・縮小」等を駆使してモデリングを行います。また、Blenderには特有の「モディファイア」というエフェクト的な編集方法があります。

そして、質感を決める「マテリアル設定」を行ったら、3Dシーンのライティングと環境を設定していきます。最後に「どのビューから絵を切り取るのか」、すなわち構図をカメラ設定で決めたら、絵やムービーを描き出します。これをレンダリングとよびます。

それでは、早速Blenderの画面の説明から見ていきましょう。

この章で制作する作品の例

Recipe 08 拡声器をつくろう

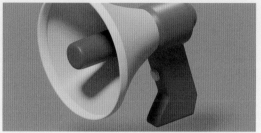

Recipe 09 アヒルをつくろう

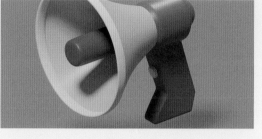

Recipe 04 文字をモデリングしよう

Recipe 14 ハンバーガーをつくろう

Recipe 17 ラジオをつくろう

Recipe 12 トースターをつくろう

Recipe 15 ティーポットをつくろう

Recipe 11 ビルをつくろう

　レッスンでは網羅的に説明を試みていますので、わからないところがあればどんどん読み飛ばして構いません。この後のレシピで実際にものを作りながら十分に理解することができます。また、一通りの操作ができるようになってから理解を深めるためにこちらのレッスンを見返すことも有効です。

01

「どこで何をするのか?」
画面構成を理解しよう

初めてBlenderを開くと、たくさんのメニューが上下左右に広がっていて、「難しい!」と感じるかもしれません。まずこの初めのレッスンでは、それぞれのメニューがどんな機能を持っているのか、どんなふうに使うのかを学びましょう。

Blenderの基本の画面構成を覚えよう

　Blenderのウィンドウには、上下に「トップバー」❶「ステータスバー」❻があり、その間は「エリア」と呼ばれるいくつかの長方形に分割されています。このエリアには「エディター(作業スペース)」が複数配置されており、Blenderを最初に開いた状態(スタートアップシーン)では、❷〜❺の4つのエディターで構成されています。

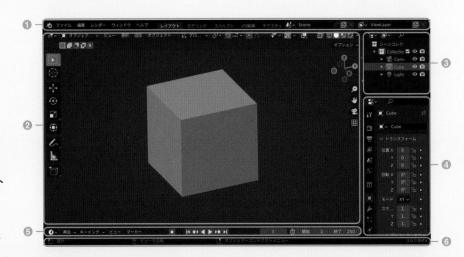

❶ トップバー
❷ 3Dビューポート
❸ アウトライナー
❹ プロパティ
❺ タイムライン
❻ ステータスバー

　エリアのサイズは、境界線にカーソルを置き、下の図のような矢印になったときにドラッグして変更できます。また、カーソルをエリアの角に置くと、カーソルが十字になり、エリアの分割または統合が可能になります。

左右方向にサイズ変更	上下方向にサイズ変更	エリアの分割・統合

空間の考え方（XYZ軸）と視点の操作方法を理解しよう

モデリング作業の中心となる3Dビューポートでは、空間上にグリッドが配置されており、座標軸が赤・緑・青の3色で表現されています。赤がX軸（左右）、緑がY軸（前後）、青がZ軸（上下）です。視点操作を行う方法は3通りあり、マウス、エディターの右上にあるナビゲーションギズモ、ショートカットの使用です。また、今どの視点にいるのかは、3Dビューポートの左上に表示されています。

マウスを使った視点操作

マウスで操作する場合は、3つボタンのマウス（ホイールがクリックできる中ボタンがあるもの）を使用しましょう。なお、マウスの代わりにペンタブレットを用いることも可能です（p.71のコラムを参照）。マウスの中ボタンをドラッグすると「回転」、Shift を押しながらドラッグすると「パン（視点移動）」、Ctrl を押しながらドラッグすると「ズームイン・アウト」が行えます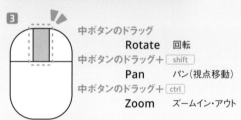。

（参考）ナビゲーションギズモを使った視点操作

画面上のアイコンから操作する場合は、3Dビューポートの右上にある「ナビゲーションギズモ」を使います。上部の「Orbit（周回）ギズモ」をドラッグすると、現在の視点を中心にビューが回転します。軸ラベル（X・Y・Z）をクリックすると、そのビューに切り替わります。同じ軸ラベルをもう一度クリックすると、同じ軸の反対側からの視点に切り替わります。

「Orbitギズモ」の下の4つのボタンはクリックすると上からそれぞれ「ズームイン・アウト」、「パン（視点移動）」、「カメラ視点への切り替え」、「透視投影/平行投影の切り替え」を操作できます（透視投影と平行投影についてはp.33のコラム参照）。

ショートカットを使った視点操作

キーボードにテンキーがある方は、ショートカットでも視点の切り替えができます。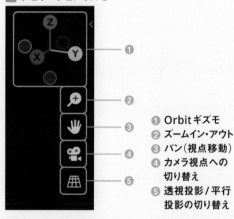をご確認ください。

フロント・平行投影
(1) Collection | Cube
Meters

中ボタンのドラッグ
Rotate 回転
中ボタンのドラッグ＋ shift
Pan パン（視点移動）
中ボタンのドラッグ＋ ctrl
Zoom ズームイン・アウト

 ナビゲーションギズモ

❶ Orbitギズモ
❷ ズームイン・アウト
❸ パン（視点移動）
❹ カメラ視点への
切り替え
❺ 透視投影/平行
投影の切り替え

トップビュー
フロントビュー
カメラ視点
透視投影/
平行投影の
切り替え
ライトビュー

オブジェクトの編集を行う3Dビューポート

最もよく使う「エディター」の一つは、先ほども説明した3Dビューポートです。モデリングやアニメーション、テクスチャーペイントなど様々な目的で使用します。Blenderを最初に開いた状態（スタートアップシーン）では、3Dビューポート上に立方体とカメラ①、ライト②、3Dカーソル③がデフォルトで配置されています。

3Dビューポートの上部には、ヘッダーメニューがあり（下図）、さまざまなメニューとコントロールが含まれています。

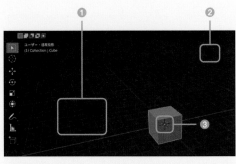

① カメラ　② ライト　③ 3Dカーソル

④ エディター切り替え　⑤ モード　⑥ ビュー　⑦ 選択　⑧ 追加　⑨ オブジェクト　⑩ 変換メニュー
⑪ ディスプレイとシェーディングメニュー

ワークスペースの活用がカギ

実施したい作業に合わせて、あらかじめエディターとその配置を組み合わせておいてくれているのが、トップバーにある「ワークスペース」です。

Blenderを最初に開いた状態（デフォルト）では「レイアウト」ワークスペースが表示されます。その他に、モデリングやスカルプティング、UV編集など、それぞれの作業に合わせてカスタマイズされたタブが用意されており、タブを選択してワークスペースを切り替えます。一気に覚える必要はないので、使用しながら覚えていきましょう。

ワークスペースの種類（例）

ワークスペース名	使用タイミング
❶ レイアウト	3次元の仮想世界のプレビュー ※初期状態
❷ モデリング	モデリングツールによるメッシュの編集
❸ スカルプト	スカルプトツールによるメッシュの編集
❹ UV編集	メッシュへのテクスチャのマッピングの編集
❺ テクスチャペイント	3Dビューポートでの画像テクスチャのペイント
❻ シェーディング	レンダリングのためのマテリアルプロパティの指定
❼ アニメーション	アニメーションの設定
❽ レンダリング	レンダリング結果の表示と分析
❾ コンポジティング	合成やエフェクトの設定
❿ ジオメトリノード	ジオメトリノードを使用したノードネットワークの編集
⓫ スクリプト作成	スクリプトの編集：BlenderのPython API対応とスクリプト記述

プロパティは設定を行う場所

　スタートアップシーンで右側にあるプロパティエディターにはさまざまなプロパティのタブが垂直に並んでおり、ここでシーンやオブジェクトの設定を行います。ここでは、本書で使用頻度の多いプロパティを紹介します。各々の使い方については、レシピパートの各作品制作の中で見ていきましょう。

レンダープロパティ
モデルを書き出す「レンダー」
の設定の際に使います。

出力プロパティ
モデルを書き出す際の形式等
の設定に使います。

モディファイアープロパティ
モディファイアを追加したり
調整する際に使います。

ワールドプロパティ
モデル外の環境を設定する際
に使います。

マテリアルプロパティ
モデルのマテリアルを設定す
る際に使います。

物理演算プロパティ
様々な現実世界の物理現象を
シミュレートします。

Step Up
説明が難しい、とにかく早く画面を触りたいという方は、Recipe 01 を参考におおまかな操作方法や編集の仕方を学んだうえで、わからない点があれば辞書的にこのレッスンの解説を読むと、より理解が深まるでしょう。

オブジェクトの種類を知り、3D空間に配置しよう

Blenderにおける創作は、3D空間にオブジェクトを配置することから始まります。このレッスンでは、オブジェクトの種類と配置の仕方について見ていきます。特によく使うメッシュとカーブについて学びましょう。

3Dビューポートにオブジェクトを追加する

新しいオブジェクトを3D空間に配置する方法は2つあります。どちらを使用しても構いませんが、「オブジェクトの追加」は非常によく使うので、ショートカットコマンドを覚えておくと便利です。

1. 3Dビューポート上部のヘッダーメニューの「追加」から配置する
2. ショートカット（ Shift + A ）を利用して配置する

よく使用するオブジェクトは？

Blenderのオブジェクトの種類は17種類あります。その中でもメッシュとカーブを主に使用します。本書では他にテキスト、ラティス、エンプティ、ライト、カメラなどを使用します。これらの使い方についてはレシピのページで解説します。

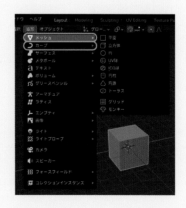

オペレータパネルの再表示

オペレータパネル（次ページ）が消えてしまった場合は、トップバーの「編集」→「最後の操作を調整（ F9 ）」を選択すると再度現れます。

モデリングのベースとなる「メッシュ」

メッシュは頂点・辺・面で構成されるオブジェクトで、編集ツールを用いてモデリングしていきます。メッシュでよく使用するのは平面・立方体・円・UV球・円柱で、これらをBlenderがプリセットとして用意している「プリミティブ形状」といいます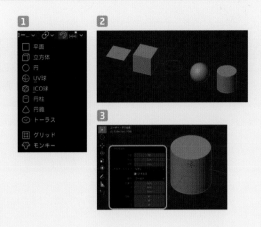。これらを基本形として細分化や変形などを行い、形を作り込んでいきます。

オブジェクトを新規作成した後に、3Dビューの左下に「オペレータパネル」と呼ばれる設定項目が現れます。ここでは、図形のプロファイルを編集できます3。

曲線を自由に表現する「カーブ」

カーブは、長さや傾きを制御できる曲線です。ベジェ曲線（ベジェ・円）とNURBS（NURBSカーブ・NURBS円・パス）の大きく2種類あります。

カーブは、メッシュより少ないデータで定義されるため、モデリング時に使用するメモリやストレージ容量への負荷が、比較的低いことが利点です。

❶ベジェ曲線 ❷NURBS

コントロールポイントとハンドルで制御する「ベジェ曲線」

ベジェ曲線は、コントロールポイント（制御点）とハンドルで操作し、ハンドルの長さや傾きで制御する、直感的に使える曲線です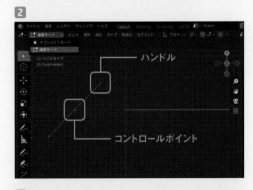。

編集モードにすると、コントロールポイントとハンドルが現れます。コントロールポイントとハンドルの操作方法は、メッシュと同様です。

コントロールポイントのみで制御する「NURBS」

NURBSは、コントロールポイントのみで制御する曲線です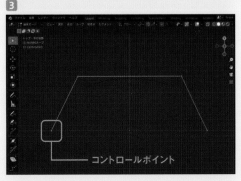。「制御点」の位置を変えることで、線の長さや曲がり方を変えることができるため、複雑なカーブはベジェ曲線より制御しやすい場合もあります。

モデリングしよう①
──編集するモードを決めよう

/ Part 1

Blenderでは編集内容により「モード」を切り替えて作業します。具体的な操作を学ぶ前に、モードの考え方＝「今、何の編集を行っているのか？」を理解しておくと、自由自在にモードを切り替えて形状を編集できるようになります。

モデリングには複数のモードが存在する

Blenderでは編集するオブジェクトに応じて、モードを切り替えながらモデリングを行います。

モードによって編集できる内容は様々です。各種ツールや機能には、複数のモードで横断的に利用できるものもあれば、特定のモードでのみ利用可能なものもあります。また、モードを切り替えるとヘッダーメニューやプロパティの設定項目が変化します。なお、オブジェクトモードは全てのオブジェクトに共通して存在します。

本書では主に「オブジェクトモード」と「編集モード」を使用します。

モードセレクタ

モードの切り替えは、3Dビューポートのヘッダーメニューの「モードセレクタ」で行います**1**。

1 モードセレクタ

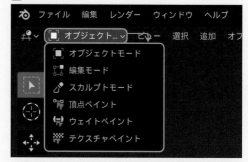

（参考）パイメニュー

またはショートカットキー（Ctrl＋Tab）を押すことで、3Dビューポート上にモードを切り替えるパイメニューが現れ、ここから選択することもできます**2**。さらに編集モードへの切り替えはショートカットTabが利用できます。

2 パイメニュー

オブジェクトを丸ごと編集する「オブジェクトモード」

オブジェクトモードは、全ての種類のオブジェクトで使用できるデフォルトのモードです。オブジェクトの移動・回転・スケール（拡大・縮小）等の編集が行えます**1**。

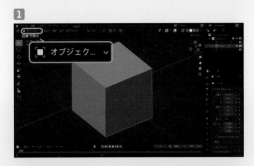

オブジェクトの構成要素を編集する「編集モード」

編集モードはモデリングを行う際に用います。メッシュの場合は頂点・線・面を、カーブの場合はコントロールポイントやハンドルの編集が行えます**2**。

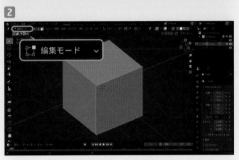

Part 1 — 基本をマスターしよう

モードと扱うオブジェクト

モード			オブジェクト						
アイコン	名前	解説	メッシュ	カーブ	グリースペンシル	エンプティ	ライト	フォースフィールド	アーマチュア
	オブジェクトモード	オブジェクトの位置、回転、サイズ等の調整を行う	○	○	○	○	○	○	○
	編集モード	メッシュの頂点・辺・面、カーブのコントロールポイント等の編集を行う	○	○	○				○
	スカルプトモード	メッシュに対してBlenderの3Dスカルプトツールを使用する	○		○				
	頂点ペイントモード	メッシュの頂点をペイントする	○		○				
	ウェイトペイントモード	頂点グループの重み付けを行う	○		○				
	テクスチャペイントモード	3Dビューポート上でモデルに直接、メッシュのテクスチャをペイントする	○						
	パーティクル編集モード	パーティクルシステム専用のモードで、システム（ヘアー）の編集を行う	○ パーティクル設定時のみ						
	ポーズモード	アーマチュア専用のモードで、アーマチュアのポーズを作成する							○
	ドローモード	グリースペンシル専用のモードで、グリースペンシルのストロークを作成する			○				

○ 本書で使用頻度が高いもの

2種類の中心の概念を理解・意識しよう

もう1点、編集について学ぶ前に理解しておきたいのが、オブジェクトの中心＝「原点」と、制御の中心＝「ピボットポイント」です。この中心の概念を理解しないまま編集を始めてしまうと、思い通りに制御できない場合がありますので注意が必要です。

オブジェクトの中心 ＝「原点」

オブジェクトを選択すると、原点を示す小さな点が表われます。これがオブジェクトの中心＝「原点」です。

オブジェクトモードでは、オブジェクトと原点は共に移動します。一方で、編集モードでジオメトリ（頂点・辺・面）を編集した際には、原点は動きません。

1. オブジェクトモードで移動 **1**
2. 編集モードで移動 **2**

オブジェクトの原点は、ヘッダーメニューから変更できます。移動先は「オブジェクトの中心」「3Dカーソル」「オブジェクトの重心」が選択できます **3**。

ちなみに、原点の色は、オブジェクトの選択状態に基づいて変化します。最後に選択されたもの（アクティブな要素）は、黄色で表示されます。選択されてはいても、アクティブでないものはオレンジ色で表示されます **4**。

3Dカーソルとは、さまざまな目的に使用できる3D空間内のポイントです。3Dビューポート上で赤と白の点線で表示されています **5**。

3Dカーソルは追加されたオブジェクトの原点として使用されます。つまり、新規のオブジェクトは3Dカーソルを原点として作成されます。3Dカーソルは、ツールバーのカーソルツール **6** を有効にしてから、3Dビューポート上の任意の場所でクリックすることで移動できます。

なお、3Dカーソルは Shift ＋ C を押すとデフォルト（XYZ座標＝0）の位置に戻ります。

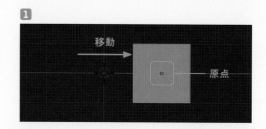

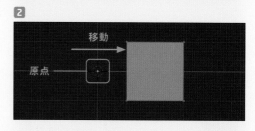

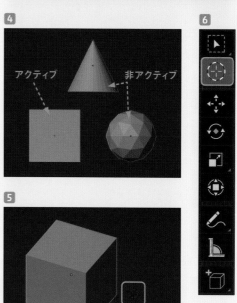

制御の中心 ＝「ピボットポイント」

オブジェクトを変形する場合、制御の中心になるのが「ピボットポイント」です。3Dビューポートのヘッダーにあるセレクターで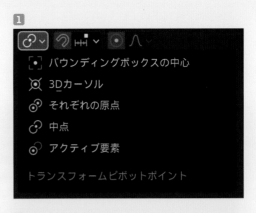、ピボットポイントの位置を変更します。もしくは3Dビューポート上で`.`を押してパイメニュー2を呼び出し、そこから変更することもできます。

例えば、3Dカーソルと離れた位置にあるオブジェクトを回転させる場合、「中点」「3Dカーソル」のどちらをピボットポイントとするかによって、結果が大きく異なります。

1. ピボットポイントが「中点」3
2. ピボットポイントが「3Dカーソル」4

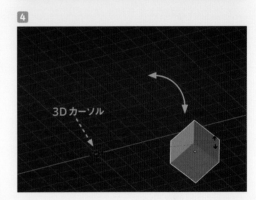

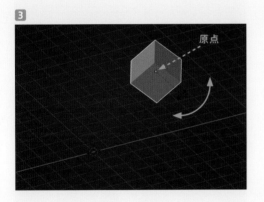

トランスフォーム座標系

オブジェクトやメッシュを変形する際に、制御する基準になるのが「座標系」です。3Dビューポート上で`,`を押してパイメニューを呼び出して変更します。
デフォルトでは赤・緑・青で表示されている座標軸と同じ「グローバル」座標系になっています。一方でモデリングで便利なのが「ローカル」座標系です。

ローカル座標系とは、オブジェクト毎に設定された座標のことを指します。
例えば、X軸を中心に回転させた立方体に対して、ローカル座標系でS→ZでZ方向に拡大してみると、このようにグローバル座標系のZ軸とは違い、オブジェクトがローカルに持っている座標系を基準に拡大されていることが分かります。

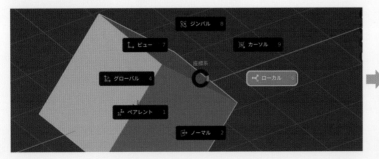

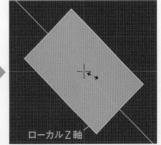

Lesson 04

モデリングしよう②
――オブジェクトを編集しよう

/ Part 1

オブジェクトの配置やモード等の基本概念が理解できたら、いよいよ編集をしていきます。編集の第一歩は「編集したい箇所をうまく選択する」、つまり選択の方法とそのバリエーションを理解することです。その上で、移動や拡大等の編集の機能を理解していきましょう。

オブジェクトやメッシュを選択してみよう

選択ツール

アイテムの選択は左クリックで行います。[Shift]を押しながら複数選択することもできます。

最後に選択されたもの（アクティブな要素）は、オブジェクトモードでは明るいオレンジ色で表示されます■。編集モードでは白で表示され、点選択■、辺選択■、面選択■の3種類があります。

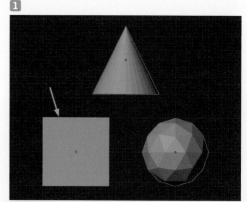

編集の原点 Tips

オブジェクトモードでは、回転やスケールは、アクティブなオブジェクトの原点を中心に行われます。

さまざまな選択方法

複数のメッシュを同時に選択する方法には他にもあり、ツールバーの最上部から、もしくはショートカットキーで変更できます。Ｗでこれらの選択モードを切り替えられます。

ヘッダーメニューの「選択」の中に他にも様々な選択手法が用意されているため、色々と試してみましょう。

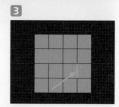
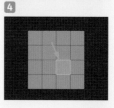

ボックス選択（Ｂ）
ボックスで囲った範囲を選択します。

全選択（Ａ）
全てのアイテムを選択します。

選択範囲の拡大（[Ctrl]＋[＋]）
選択しているメッシュと隣接する範囲へ拡大します。

サークル選択（Ｃ）
なぞった箇所を選択します。

独立したメッシュの選択（Ｌ）
編集モードで他と隣接していないメッシュだけを選択できます。

選択範囲の縮小（[Ctrl]＋[－]）
選択しているメッシュと隣接する範囲へ縮小します。

投げ縄選択
（[Ctrl]＋右ボタンのドラッグ）
投げ縄の範囲を選択します。

ループ選択
（[Alt] / [Option]＋左クリック）
端から端まで一直線に接続されているループを選択します■。

編集モードでは頂点・辺・面のモードを切り替えて操作しよう

編集モードでは、頂点・辺・面の選択を切り替えて、対象となるメッシュを指定します**1**。キーボードの①（頂点）、②（辺）、③（面）に割り当てられてるショートカットを使用すると便利です。

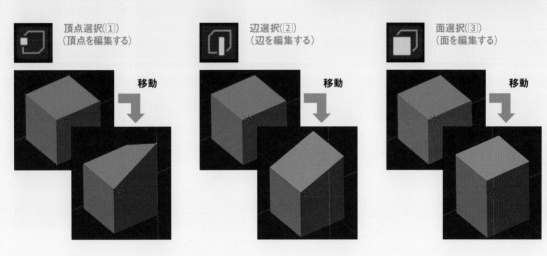

頂点選択（①）
（頂点を編集する）

移動

辺選択（②）
（辺を編集する）

移動

面選択（③）
（面を編集する）

移動

見えていないメッシュに要注意

選択ツールを使用する際に注意したいのは、3Dビューポート上の、そのときの視点で見えていない部分のオブジェクト・メッシュは選択できない点です。**1**ではフロントビューから立方体の全ての頂点をボックス選択したつもりですが、斜めから見てみると、一面しか選択されていません。

見えていない部分も含めて選択したい場合は、透過表示に切り替えて**2**（Alt／Option＋Z）から選択すれば、**3**のように全範囲のメッシュが選択できます。

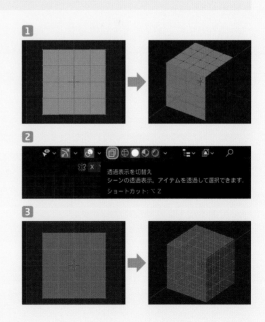

これだけ覚えればカンタン！基本編集①
オブジェクトモード・編集モードに共通する操作

オブジェクトモード・編集モード両方に共通する操作には、移動（G）、拡大・縮小（S）、回転（R）、コピー（Shift＋D）、削除（X）があります。

これらの操作を行うために、3Dビューポート左側のツールバー１を用いる方法もありますが、その都度カーソルを画面の左側へ移動するのは面倒です。それぞれの操作のショートカットを覚えた方が効率が良いといえるでしょう。なお、ツールバーはTで表示・非表示の切り替えられます。

より直感的に、マウス制御で移動、回転、スケール（拡大・縮小）を行いたい場合は、ヘッダーメニューにある「ビューポートギズモ」の「オブジェクトギズモ」の移動・回転・スケールにチェックを入れましょう２。それぞれの操作で、それぞれ３、４、５のようなギズモが表示されます。3つの色の軸のいずれかをドラッグすることで、ギズモを使用できます。

また、現在のモードで行える操作の一覧はショートカット（Shift＋Space）で表示できます。それぞれの操作のショートカットも記載されているため、ショートカットを忘れてしまった場合は、こちらの操作で確認しましょう（オブジェクトモードの場合６、編集モードの場合７）。

操作の中には、XYZ軸方向に限定して作用させる、つまり軸や平面を限定して操作することができるものがあります。

軸のロック

移動（G）、拡大・縮小（S）、回転（R）、押し出し（E）、コピー（Shift＋D）では、ショートカットを押した後にX・Y・Zを入力すると、その座標方向にのみ作用します。これを「軸のロック」と呼び、動きを1つの軸に制限します。

平面のロック

移動（G）、拡大・縮小（S）では、ショートカットを押した後にShift＋X、Y、Zを入力すると、動きを2つの軸にロックします。これを「平面のロック」と呼びます。例えば、拡大しながら（S）、Shift＋Zを押すと、XY方向だけに拡大することができます。

3 移動

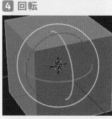
4 回転

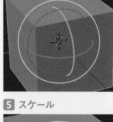
5 スケール

6 オブジェクトモード

7 編集モード

それでは、実際にそれぞれの操作方法とそのショートカットを見ていきましょう。

 Ⓖ＝移動

オブジェクトの位置を変更します。アクションを確定させるには、3Dビューポート上で左クリックします。こちらの例ではⒼを押した後に、Ⓨを押してY軸（左右）方向に移動を限定しており、緑のY軸が明るくハイライトされています。

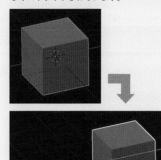

 Ⓢ＝拡大・縮小（スケール）

オブジェクトの比率を変更します。Ⓢを押すと、マウスポインタの位置が内側のときは縮小、外側のときは拡大されます。スケールの量は、マウスポインタがピボットポイントから離れると増加し、ポインタがピボットポイントに近づくと減少します。

Ⓡ＝回転

1つまたは複数の軸、またはピボットポイントを中心に、要素（頂点、辺、面、オブジェクトなど）を回転します。

Ⓧ＝削除

選択したオブジェクト、またはメッシュの頂点・辺・面を削除します。Ⓧを押すと削除メニューが現れます。なお、このメニューにある「溶解」は、メッシュのジオメトリ（頂点・辺・面）を削除しつつも、穴を開けずに、周辺のジオメトリで埋める操作です。

Shift ＋ Ⓓ＝コピー

選択したオブジェクトまたはメッシュをコピーします。コピーした後にすぐに確定（ Enter ）すると、元のオブジェクトと同じ位置に作成されます。確定しなければ、そのまま移動できます。

 Tips

リンク複製

複製の中にはリンク複製（ Alt ＋ Ⓓ）があります。これは色やメッシュの情報を共有することができる複製方法です。リンク複製は、オブジェクトモードで行います。リンク複製を用いた作品（Recipe 17）も参照してみましょう。

これだけ覚えればカンタン！基本編集②
編集モードでのみ行う操作

 E＝押し出し

編集モードで特定の頂点・辺・面を選択してドラッグします。すると、選択した頂点・辺・面に接続したまま、新たなジオメトリ（頂点・辺・面）を作成することができます。Alt／Option＋Eを入力することで「法線に沿って面を押し出し」（Recipe 08）などの操作もできます。

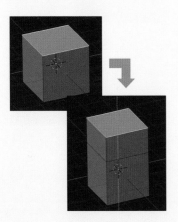

 I＝インセット（面を差し込む）

選択されている面に差し込みを作成、すなわち新たな面を挿入します。Iを押した後にCtrlを押すことで、差し込みの深さを調整できます。

 F＝フィル（頂点を繋ぐ・面を張る）

選択した頂点、または辺のグループから辺や面を形成します。頂点が2つ選択されていれば辺を形成し、頂点が3つ以上、または辺と辺が選択されていれば面を形成します。

インセットのテク
TIPS

Iを押した後に再度Iを押すと、それぞれの面で個別に差し込むのか、差し込みを統合するのかを切り替えることができます。

オペレータパネルの「個別」の項目でも切り替えが可能です。

 Ctrl＋R＝辺ループの挿入（ループカット）

辺ループを挿入します。ショートカット（Ctrl＋R）を押したら、カーソルを目的の辺に移動させます。表示されるプレビュー（黄色いライン）を確認しながら挿入する方向が決まったら、一度左クリック／Enterを押します。すると、プレビューがオレンジ色のラインに変わり可動するので、任意の位置で確定しましょう。Escを押すとちょうど真ん中で確定できます。

Ctrl＋B＝ベベル（面取り）

メッシュの角を削る（面取り）や丸みを帯びた角を作成することができます。ショートカット（Ctrl＋B）を押した後、マウス（またはトラックパッド）をスクロールさせると、セグメント数（分割数）を設定できます。セグメントの数が多いほど、ベベルは滑らかになります。セグメント数は、3Dビューポートの左下に現れるオペレータパネルでも切り替えが可能です。
面と面の角を取る場合はCtrl＋Bですが、線と線の角を取る場合はCtrl＋Bの後にVを入力する必要があり、注意が必要です。

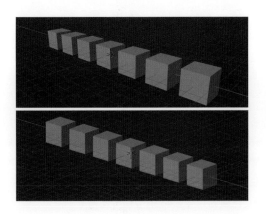

透視投影と平行投影　| Column

　透視投影とは、対象物を目で見た像と近い表現が得られる投影法で、遠くの物体が小さく見えます（上図）。それに対して平行投影では、距離に関係なく同じ大きさのオブジェクトが同じ大きさに見えます（下図）。モデリングを行う際には、遠近法が反映されない平行投影で行う方が、遠近に左右されないで調整できるため便利な場合が多いでしょう。3Dシーンを作成する際に、シーンの確認には透視投影が有効です。

　詳しくは、Lesson 08 で解説しています。

Step Up

このレッスンではよく使用する編集機能を紹介しましたが、それらのショートカットを下記にまとめておきます。

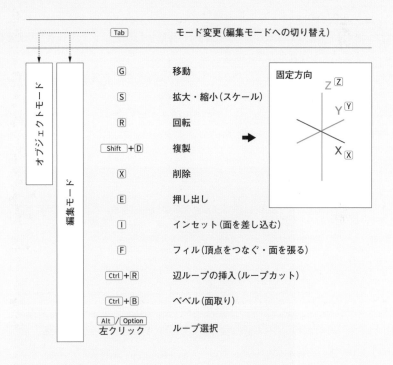

	キー	機能
	`Tab`	モード変更（編集モードへの切り替え）
オブジェクトモード	`G`	移動
	`S`	拡大・縮小（スケール）
	`R`	回転
	`Shift`+`D`	複製
編集モード	`X`	削除
	`E`	押し出し
	`I`	インセット（面を差し込む）
	`F`	フィル（頂点をつなぐ・面を張る）
	`Ctrl`+`R`	辺ループの挿入（ループカット）
	`Ctrl`+`B`	ベベル（面取り）
	`Alt`/`Option`+左クリック	ループ選択

固定方向

モデリングしよう③──モディファイアでエフェクトをかけよう

モディファイアは、元となるメッシュには変更を加えず、非破壊的に変形するための機能です。オブジェクトに対して行う「立体エフェクト」と捉えるとイメージしやすいでしょう。手動でモデリングすると面倒な変形も、モディファイアを活用すれば一発で擬似的に表現できます。モディファイアは、確定（適用）するまでは、調整や取り消しが容易にできるという点も便利です。

これだけは覚えたい！モディファイア 12 選

　オブジェクトを選択し、モディファイアープロパティ（p.21）のタブから「モディファイアーを追加」のプルダウンをクリックしてみましょう。「編集」「生成」「変形」「ノーマル」「物理演算」の各カテゴリの中に、モディファイアがずらりと並んでいます。

　全ての効果を覚える必要はありません。ここでは、使用頻度が比較的高いと想定され、本書でもレシピパートで使用するモディファイアを12種類紹介します。

　＊以降のスクリーンキャプチャでは、Blender4より前の画像になっていることはありますが、選択するメニューに変更はありません

配列（Array）

オブジェクトデータをコピーして、一定間隔を空けながら配置します。複雑な繰り返しの形状を作成するのに便利です。間隔（オフセット）は、モディファイアープロパティの「オフセット（倍率）」「一定のオフセット」「オフセット（OBJ）」を用途に応じて使い分けます。隣接する頂点が近くにある場合は「マージ」にチェックを入れると統合することができます。

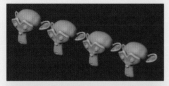

 ベベル（Bevel）

ベベルツール（p.32）と同じように、辺・頂点の角を削ることができます。モディファイアープロパティの「幅」の数値でベベルのサイズを決め、「セグメント」でエッジループの数（分割数）を設定します。

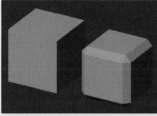

 ブーリアン（Boolean）

メッシュ同士を組み合わせて、1つのメッシュを生成します。ブーリアンには「交差（Intersect）」「統合（Union）」「差分（Difference）」の3種類の手法があります。オブジェクトを選択し、ブーリアンモディファイアを追加したら、モディファイアープロパティの「オブジェクト」をクリックして、効果の対象となるオブジェクトを指定します。

立方体とUV球のブーリアン（左から交差、合成、差分）

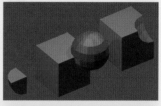

 ミラー（Mirror）

オブジェクトの原点、または軸として設定した「ミラーオブジェクト」を中心に、座標軸方向に反転して複製します。軸は複数選択することもできます。線対称のオブジェクトを作成するときに「クリッピング」をオンにすると、頂点を移動しても軸を超えないようにできます。

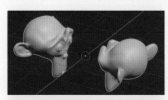

 スクリュー（Screw）

メッシュまたはカーブを用いて、回転体やらせん形状を作成することができます。スピンツールと同様の働きをしますが、らせん形状を作ることができるのがモディファイアの強みです。

 スキン（Skin）

頂点と辺から厚みを持ったサーフェスというオブジェクトを作成します。編集モードで頂点を選択し、Ctrl＋Aを押した後にドラッグすると、スキンの厚みを変化させることができます。また、頂点ごとに厚みの調整が可能です。

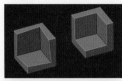 ソリッド化（Solidify）

メッシュの面に厚みを持たせます。モディファイアープロパティの「幅」で厚みを設定します。厚みのモードはシンプルな形状に用いる「シンプル」と複雑な形状に用いる「複雑」の2種類あります。左がシンプル、右が複雑（均一）

 サブディビジョンサーフェス（Subdivision Surface）

メッシュ自体は細分化せず（ポリゴンの分割数は変更せず）分割数が増えたように表現します。これにより滑らかなサーフェスを表現できます。メッシュ自体は細分化されていないため、データ量が少なく済み、また、少ない頂点数でジオメトリをコントロールできます。3Dビューポートで表示されるサブディビジョン（分割）のレベルはモディファイアープロパティの「ビューポートのレベル数」で設定します。一方でレンダリングで表示されるサブディビジョンのレベルは「レンダー」で設定します。

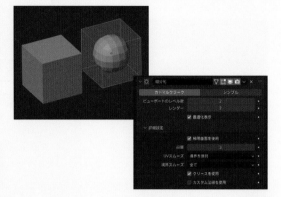

Tips

サブディビジョンサーフェスのテク

サブディビジョンサーフェスを適用したオブジェクトの中にエッジ（角）を持たせたい場合は「平均クリース」を活用します。トランスフォームメニューを呼び出し（N）、平均クリースの値を調整します。またはShift + Eを押してドラッグすることもでも調整することが可能です。

オブジェクトをなめらかに見せたいときに使うサブディビジョンサーフェスですが、これを使う前に、スムーズシェードを使用することも検討してみましょう。スムーズシェードでは、メッシュを細分化することなく、なめらかな陰影付けを行うことができます。
オブジェクトモードで、右クリックをすると、スムーズシェードを含むオブジェクトコンテクストメニューを呼び出すことができます。

スムーズシェードを使用したら、左下に現れるオペレーターパネルの自動スムーズにチェックを入れましょう。オブジェクトデータプロパティ内の「ノーマル」→「自動スムーズ」でも同じ操作ができます。
なお、オブジェクトコンテクストメニューで「自動スムーズシェード」を選択すれば、自動スムーズまで自動で設定してくれるので便利です。

立方体（右）の底面の4辺に平均クリース0.5を追加

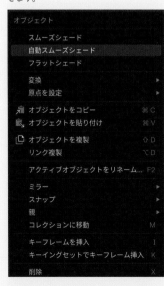

ワイヤーフレーム（Wireframe）

メッシュをワイヤーフレームに変換します。ワイヤーフレームに変換するためには面が必要です。モディファイアープロパティの「幅」の数値で、ワイヤーフレームの太さを設定します。

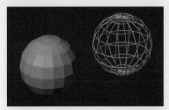

ラティス（Lattice）

オブジェクトを変形させるモディファイアです。複雑な形状でもオブジェクト丸ごと変形することができます。ラティス＝格子を意味し、この格子（枠）を細分化して制御点を追加することにより、より複雑な変形が可能になります。

カーブ（Curve）

カーブに沿ってメッシュを変形します。モディファイアプロパティの「カーブオブジェクト」をクリックして、変形の基準となるカーブを指定します。ここで読み込んだ元のカーブオブジェクトのオブジェクトデータプロパティの「カーブモディファイアー」のパネルで「ストレッチ」と「境界固定」にチェックを入れると、カーブの長さに合わせて変形できます。

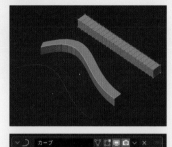

ディスプレイス（Displace）

テクスチャの色（RGB）情報に基づいて、頂点の高低＝座標情報（XYZ）に変換し、メッシュの頂点を変位させます。そのため、頂点が一定数存在しないと、その効果が確認できません。

平面（左）を細分化（真ん中）し、クラウドテクスチャのディスプレイスを施した（右）
※テクスチャは、テクスチャプロパティで指定します。

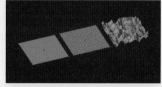

モディファイアのオン・オフを使ってBefore / Afterの確認をしよう

モディファイアを追加した後でも、モディファイアを追加する前の状態を簡単に確認することができます。モディファイアープロパティ上のアイコンを操作して行います。

・編集モードで表示・非表示
　　　　　　（頂点の四角いアイコン）
・ビューポート上で表示・非表示（画面アイコン）
・レンダリング時に表示・非表示（カメラアイコン）

うまくいかない？　モディファイアの順序を見てみよう

1つのオブジェクトには複数のモディファイアを追加することができます。モディファイアープロパティの表示の上から順番に処理されていくため、同じ組み合わせでも、順番によって3Dビューポートに表示される結果が変わります。順番は、各モディファイアの右上をドラッグして入れ替えます。

例：ベベルとサブディビジョンサーフェスの組み合わせでも、順番が違うと結果が違う

・1 ベベル→サブディビジョンサーフェスの順
・2 サブディビジョンサーフェス→ベベルの順

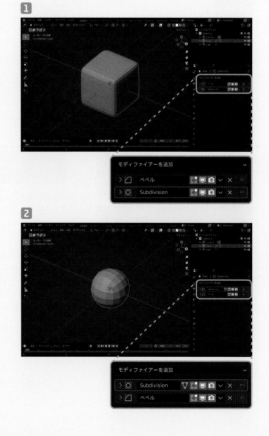

モディファイアが現実になる「適用」

モディファイアは非破壊的な編集であるため、編集モードに入ってみると実際の頂点数や位置は変わっていないことが分かります。

モディファイアによるエフェクト（変形）を確定したい場合には、プルダウンから「適用」を選択します。これにより、モディファイアの処理がポリゴンに確定されます。

例：左がサブディビジョンサーフェスの適用前、
　　右が適用後

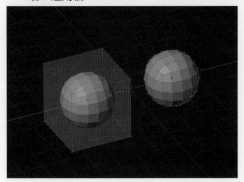

どんな時に適用をするか

モディファイアを用いて「立体エフェクト」として変形やコピーさせたものがイメージ通りで、更にそこから細かなメッシュ編集を行いたい場合に適用を利用します。

下記は、本書の中で適用を使うシーンです。

ソリッドモディファイアで厚みを持たせたものを適用し、編集モードでメッシュ編集（Recipe26）

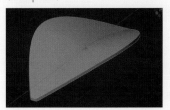

ミラーモディファイアで左右反転させたものを適用し、片側だけを編集（Recipe13、20）

サブディビジョンサーフェスを適用し、更にメッシュを編集（Recipe18）

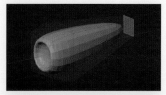

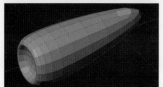

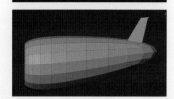

マテリアルを設定しよう

マテリアルは、オブジェクトの見た目を決める重要な要素で、オブジェクトの色やテクスチャ等を定義します。ここでは、基本のマテリアル設定について解説します。テクスチャを用いてより質感を高めていく手法についてはPart 2で解説していきます。

マテリアルが確認できるシェーディングに切り替えよう

マテリアル設定を行う前に、設定したマテリアルが確認できるシェーディングのモードにしておきます。

Blenderには4つのシェーディングのモードがあり、3Dビューポート左上のアイコン（3Dビューのシェーディング）で切り替えられます。作業内容に合わせて使い分けましょう。マテリアルを設定する際に

は、マテリアルプレビューモードまたはレンダーモードにしておきましょう。

 ワイヤーフレームモード

オブジェクトの辺（ワイヤーフレーム）のみを表示します。

 ソリッドモード

Workbench＊のレンダリングエンジンを使用して3Dビューポートがレンダリングされます。
（＊）モデリングやアニメーションプレビュー時に使用するレンダリングエンジンです。

 マテリアルプレビューモード

EeveeのレンダリングエンジンとHDRI環境（p.49）により3Dビューポートをレンダリングします。

 レンダーモード

シーンで設定しているレンダリングエンジンを使用して、3Dビューポートをインタラクティブにレンダリングします。

マテリアル設定はここで行おう

マテリアル設定は、プロパティエディターの「マテリアルプロパティ」、またはシェーダーエディターのいずれかで行います。

マテリアルプロパティ

マテリアルプロパティのパネルの中にシェーダーがあり、ここでマテリアルを調整します**1**。

シェーダーエディター

シェーディングワークスペースを開くと、デフォルトで上部に「3Dビューポート」、下部に「シェーダーエディター」が配置されています**2**。この「シェーダーエディター」にデフォルトで表示されている「プリンシプルBSDF」のノードは、マテリアルプロパティにデフォルトで表示されているものと同じです。ノードとは、マテリアルやライト、ワールドを構成する情報を持ったもので、詳しくはPart 2で解説します。

一度作成したマテリアルは、同じファイル内であれば別のオブジェクトにも設定することができます。既存のマテリアルを割り当てたいオブジェクトを選択した状態で、マテリアルスロットパネルのプルダウンから作成済みのマテリアルを選択します**3**。

3Dビューポート

シェーダーエディター

プリンシプル BSDF で質感を表現しよう

　マテリアルを新規作成すると、デフォルトで「プリンシプル BSDF」というシェーダーが設定されます。

　このプリンシプル BSDF 内には、様々なパラメータが一つにまとめられており、これらを調整することで、多様な質感を再現することができます。

　Blender 4.0 では、プリンシプル BSDF のインタフェースは折り畳み可能なものへと変更になっています。詳しくは p.199 をご参照下さい。

代表的なマテリアル設定をマスターしよう

　プリンシプル BSDF には多くの設定項目がありますが、すべての項目を覚えておく必要はありません。ここではベースカラー、メタリック、粗さ等の主要な項目と、各素材の表現方法について解説していきます。

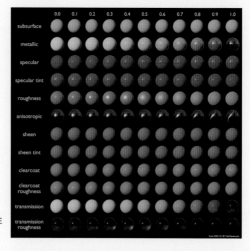

プリンシプル BSDF の設定項目と設定値の関係性
（オフィシャルマニュアルより）

「ベースカラー」では、カラーピッカーを使用して色を設定します。RGB・HSV・Hexといった色の指定方法の切り替えができ、それぞれの数値を入力して色を指定することもできます。

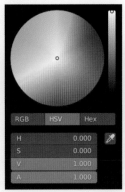

それぞれのマテリアルの作り方

プラスチック

粗さの値を0にすることで、艶が出て、プラスチックのような表現が可能になります。デフォルトでは粗さの値は0.5になっています。0.5から0の間で、艶の調整をすると良いでしょう。

金属

メタリックの値を1、粗さを0にします。金属の表現をする際には、環境設定が必要になります。周囲に金属表面に映り込むもの（環境）がなければ、真っ黒になってしまうためです。

皮膚

ベースカラーを肌色にしてサブサーフェスの値を0.5にすることで皮膚の表現ができます。Blender 4.0の場合は、「サブサーフェス」の「ウェイト（強さ）」の値を「1」に、「半径（上からR:1.3,G:1.0,B:1.0）」「スケール（0.3）」の値を調整します。

発光体

放射のカラーピッカーで色を設定し、放射
の強さを設定します。Eeveeの場合は、レ
ンダープロパティのブルーム設定で、光の
半径と強度を調整します。

ガラス

伝播の値を1に、粗さを0にします。艶消
しガラスの場合は、粗さは0.5のままにし
ます。

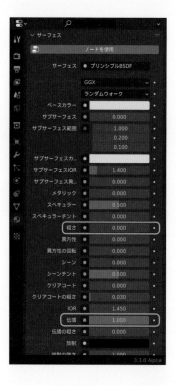

Eeveeの場合

レンダラーがEeveeの場合は、追加で設定が必要になります。マテリアルプロパティの設定
で「裏面を非表示」と「スクリーンスペース屈折」にチェックを入れ、「ブレンドモード」を「ア
ルファブレンド」に、「影のモード」を「アルファハッシュ」か「アルファクリップ」にします
❶。また、レンダープロパティの「スクリーンスペース反射」と「屈折」にチェックを入れます
❷。ガラスは、プリンシプルBSDFの他にグラスBSDFを使用して表現することもできます。

一つのオブジェクトの中で、複数のマテリアルを割り当てる

編集モードに入り（ Tab ） ■、マテリアルプロパ
ティのマテリアルスロットの「＋」→「新規」の順
にクリックして ■、新規マテリアルを作成します。
マテリアルの名称の上でダブルクリックすると名称
を 任意 に 変 え ら れ ま す ■。ここでは名称を
「New01」としました。

New01の色を「ベースカラー」のカラーピッカ
ーで変更したら ■、このマテリアルを割り当てたい
面を選択し、マテリアルスロットの「割り当て」を
クリックします ■。すると、選択した面のマテリア
ルがNew01に割り当てられました ■。

更にマテリアルを新規作成し、割り当てていきま

す ■ ■。

このように、一つのオブジェクトの中で、複数の
マテリアルを設定する場合は、マテリアルスロット
にカラーパレットのようにマテリアルを作成してお
き、割り当てたい面を選んで割り当てていくという
流れで行います ■ ■。

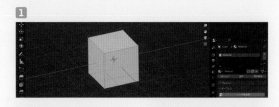

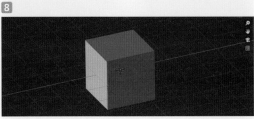

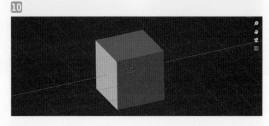

ワールド・ライトを設定しよう

写真撮影の際に、良い写真を撮るためには、環境作りやライティング等のスタジオセッティングが欠かせません。これは3DCG作成でも同様です。ここでは、背景となるスタジオの作り方と、ライティング・環境設定の方法についてご紹介します。

基本のスタジオを作る

　ここでは、デフォルトのメッシュである、モンキーを素敵に演出するスタジオを作成していきましょう！
　まず、平面オブジェクトを追加します（ Shift ＋ A ）**1**。
　編集モードに入り（ Tab ）、奥の辺を選択し、 E で押し出します**2**。角の辺を選択し、ベベル（ Ctrl ＋ B ）した後**3**、左下に現れるオペレーターパネルの「セグメント」数を10に変更しましょう**4**。
　オブジェクトモードに戻り（ Tab ）、右クリックメニューからスムーズシェードをクリックします**5**。

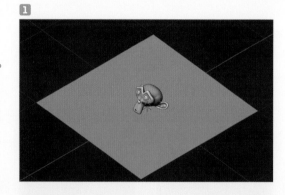

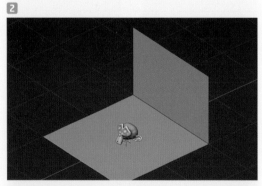

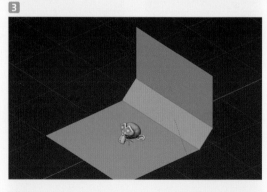

レンダープレビュー（マテリアル、シーンのライト、ワールドが反映されているプレビュー）へ移行します。デフォルトでライトが設定されていることが確認できます。

デフォルトのライトに加え、オブジェクト追加（Shift + A）で、エリアライトを追加します。

ライトを回転する場合は、3Dカーソルを中心に回転させましょう。ピボットポイントのパイメニュー（.）で、ピボットポイントを「3Dカーソル」にします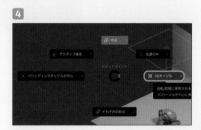。Rでライトを回転し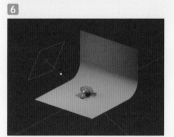、更にコピーしたものを回転します。

ライトのカラーとパワーの設定はオブジェクトデータプロパティで行います。光を調整したいライトを選択した状態で、カラーとパワーを変更します（こちらの例ではキーライト50W、フィルライト20W、バックライト40W）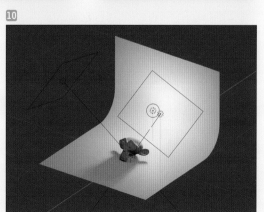。

はライトのカラーを変更した例（キーライトが赤、フィルライトが青、バックライトが黄）です。

基本のスタジオのワールドを設定する

次に、ワールドの設定をしていきます。デフォルトでは、環境にはダークグレーのカラーが設定されています **1** **2**。

ワールドのカラーを明るくすると、全体が明るい印象になります **3** **4**。

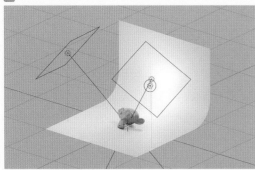

Tips

HDRI画像を入手・管理しよう

次ページで使用しているようなHDRI画像は下記のサイト等から無料もしくは有料で入手することができます。使用機会が多い場合は、Lesson 13で解説するアセットブラウザに

お気に入り登録しておき、いつでもすぐに引き出せるようにしておくと良いでしょう。

ambientCG - Free Public Domain PBR Materials

Poly Haven・Poly Haven

Textures for 3D, graphic design and Photoshop!

https://ambientcg.com/ https://polyhaven.com/ https://www.textures.com/

環境テクスチャを設定してリアルな反射を表現しよう

金属やプラスチック等は、周囲の環境を反射します。これらのマテリアルを設定する際に、樹木や建物等の環境を映り込ませると、リアルな絵作りが可能になります。

映り込ませる背景を、Blenderの環境上にマッピングする機能が環境テクスチャです。これには360度の画像と光の情報を持った「HDRI（High Dynamic Range Image）」を使用します。これは、Blenderに限らず、3DCG制作で使う環境マッピングを指します。

設定の仕方は簡単です。ワールドプロパティの「カラー」の黄色いソケットをクリックして、「環境テクスチャ」を選択します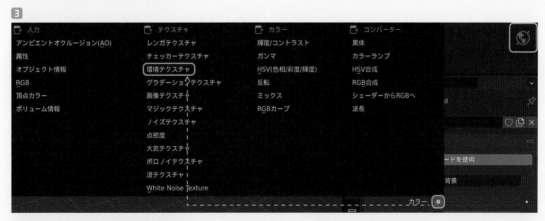。パネルの「開く」をクリックして、HDRI画像を読み込みます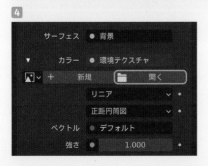。

レンダープレビューで見てみると、読み込んだHDRI画像が環境として設定されていることが分かります。ビューポート・カメラが平行投影になっている場合は、表示されないので注意が必要です。なお、Eeveeでは影が表示されないため、影を落としたい場合は別途設定が必要になります。

カメラを設定して 3Dシーンを描き出そう

最終的に出力（レンダリング）する画像・映像の構図を決めるのが、カメラ設定です。考え方は一般的なカメラと同じで、焦点距離で遠近感を調整したり、被写界深度を設定してピントが合う範囲を指定したりすることができます。作業の流れは簡単です。3Dビューポート上で、カメラビューと呼ばれるビューへ切り替え、構図を調整します。レンズのタイプには平行投影と透視投影があり、透視投影の場合には焦点距離を設定することで遠近感を調整できます。

カメラビューを使いこなそう

　カメラ設定は3Dビューポート上で、カメラビューを表示させることから始まります。カメラビューへの切り替えは、画面右上のナビゲーションギズモにある「カメラ視点への切り替え」アイコンをクリック、またはショートカット（テンキーの 0 ）で行います **1**。

　カメラビューでは、現在設定されているカメラ（アクティブカメラ）の視点から、3Dシーンの構図＝「レンダリングをした際にどのような構図で仕上がるのか」を仮想的にプレビューできます。点線の内側にあるものがレンダリング画像に含まれます **2**。

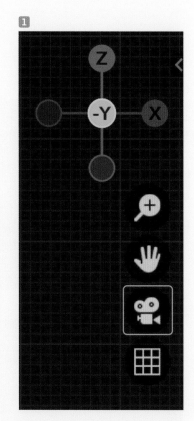

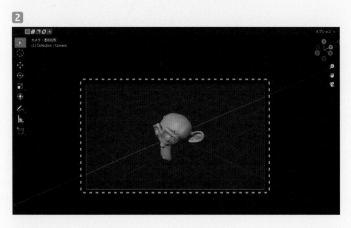

構図の印象を左右する！透視投影と平行投影を使い分けよう

　まず最初に、透視投影と平行投影のどちらで構図を作るかを決めましょう。

　設定の仕方は、アウトライナー上でカメラのオブジェクトを選択し、カメラプロパティ  の「タイプ」のプルダウンから選択します 。デフォルトでは透視投影になっています。

透視投影

対象物を目で見た場合に近い表現が得られる投影法です。遠近を付けたダイナミックな絵作りをしたい場合に使用します。デフォルトでは焦点距離が50mmに設定されていますが、この数値が小さくなると遠近感が強くなり、数値が大きくなると遠近感が弱くなります。

平行投影

遠近法が表現されない投影法です。図面やアイソメトリック風のイラストを表現する際に使用します。本書のイラストの多くも、この平行投影を使用しています。アイソメトリック（等角投影法）とは、平行投影法の一種で、傾斜させた立体を、間口・奥行き・高さの3方向で作る角度がそれぞれ120度になるように描くことを指します。

画面を周回すると透視投影に戻ってしまう？

平行投影でモデリングしたいのに、フロントビューやライトビューから周回したとき（画面を回転させたとき）に自動で透視投影に切り替わってしまうことがあります。これを防ぐためには、プリファレンスの設定を変更しましょう。[周回とパン] → [透視投影] のチェックを外すと、この現象が起こらなくなります。

カメラビューで構図を調整しよう

カメラビューの枠の中でビューを回転しようとすると、枠から外れてしまいます。このカメラ枠を固定しつつ、見たいビューを調整するためには、3Dビューポートの右側のプロパティシェルフを引き出し（N）、「ビュー」メニューの「ビューのロック」→「カ

メラをビューに」にチェックを入れます 。

ビューポートで見ている視点にカメラを合わせたい場合には、ヘッダーメニューのビューから「視点を揃える」→「現在の視点にカメラを合わせる」を選択します（Ctrl + Alt / Option +テンキー 0） 。

被写界深度を設定して、メリハリのある絵づくりをしよう

Blenderのカメラ設定では、被写界深度を設定することができます。被写界深度とは、一点にピントを合わせた際に、前後のピントが合っているように見える範囲を指します。デフォルトでは被写界深度はオンになっていません。被写界深度をオンにして、ピントとボケを表現することで、メリハリのある絵作りが可能になります ①。

被写界深度をオンにして「焦点のオブジェクト」を手前のモンキーに設定し ②、F値（絞り値）を0.3にすると ③、このように後ろのモンキーと背景がボケた状態でレンダリングされます（Cyclesの場合）。

レンズのF値（絞り値）が小さくなるほど、被写界深度は浅くなり、大きくなるほど被写界深度は深くなります。Blenderのデフォルトでは、F値は2.8に設定されています ③。

被写界深度をオフ

被写界深度をオン（F値0.3）

レンダープロパティでレンダリングエンジンを使い分けよう

レンダリングとは、カメラや環境、光や反射等の様々なデータを元に計算し表示を行うことです。このレンダリングのために知っておきたいのが、先ほど解説したカメラ設定と、レンダーエンジンの使い分けです。
Blenderにはレンダリングエンジン（レンダラー）が標準で搭載されており、Workbench、Eevee、Cyclesの3種類があります。

Workbench

Workbenchはモデリングやアニメーションプレビュー時に使用するレンダリングエンジンです。ヘッダーメニュー「3Dビューのシェーディング」の左から2番目のソリッドモードでは、このレンダリングエンジンのレンダリング結果を見ています。

Eevee

スピードとインタラクティブ性に重点を置いて開発されたリアルタイムレンダリングエンジンです。Cyclesと違い、Eeveeはレイトレースレンダーエンジン（物体の表面の反射率、また透明度・屈折率等々を考慮して光線の経路を計算する）ではなく、アルゴリズムを用いて簡易的に光とオブジェクトとの相互作用を推定・計算しています。

Cycles

パストレーシングという手法で物理的な演算を行うレンダリングエンジンで、高品質である代わりに、計算に多くの時間を要します。

Tips

Eeveeの設定

Eeveeの場合は、レンダープロパティの、「アンビエントオクルージョン」と「スクリーンスペース反射」にチェックすることで、Cycleと同様の光の減衰をシミュレートし、より現実に近い表現を擬似的に再現します。これにより、Eeveeでも充分リアルに表現することができます。

レンダープロパティではカラーマネジメントの設定も忘れずに

レンダープロパティの「カラーマネージメント」→「ビュー変換」は「Filmic」がデフォルトとなっています。ダイナミックレンジが広く、露出を上げても白飛びがしにくくなるのが良い点である一方、環境や光の設定によっては色がくすんだような表現になってしまうため、そのような場合は「標準」を選ぶようにしましょう **1**。

また「ルック」で出力画像のコントラストを設定することができます。こちらも活用できるとメリハリのある画像が出力できます **2**。

レンダリング（書き出し）はとても簡単

画像の書き出し

　トップバーの「レンダー」→「画像をレンダリング」（[F12]）で画像をレンダリングします。

　背景を透過して書き出すためにはレンダープロパティの「フィルム」→「透過」にチェックを入れます。

解像度

　解像度の設定は、出力プロパティの「フォーマット」で設定します。解像度のX（横）Y（縦）の数値を直接入力できるほか、同じ比率であれば％の数値で調整できます。

アニメーションの書き出し

　出力プロパティ内の「出力」メニューで、出力先を決め、ファイルフォーマットをFFmpeg動画に、エンコーディングのコンテナをMPEG-4に、動画コーデックをH.264にして、トップバーのアニメーションをレンダリングを選択します。すると、レンダリングが始まり、完了すると、指定されたフォルダにmp4の動画が格納されます。

カメラを複数設定して切り替えよう

カメラは、オブジェクトの追加（Shift + A）により、複数設定することができます。複数カメラがある場合に、カメラの上に付いている三角の部分が塗りつぶされているものがアクティブカメラです ■。カメラビューにしたときにはアクティブカメラからの視点になります。

アクティブカメラ（Active Camera）にしたいカメラを選択した状態で、Ctrl + テンキー 0 を押します。

RenderBurstという無料のアドオンを使用すれば、複数カメラの構図の画像を一気にレンダリングすることができます。②の動画で解説しているので、是非チェックしてみてください。

■

②

【blender初心者】レンダリングで画像を
書き出す！便利なアドオンもご紹介【3DCG】
https://youtu.be/WsLW-SGm9YU

Tips

複数の視点で絵を書き出してみる

モデリングしたものを複数の視点で書き出し、絵にバリエーションを持たせることができるのが、3Dの大きな利点の一つといえます。複数個カメラを設定して、様々な絵を書き出してみましょう。

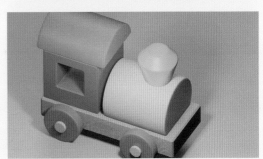

Recipe

01

カップのアイコン
をつくろう

/ Part 1

サンプルダウンロード　｜　Part 1 ＞ 📁 Recipe 01

最初なので、ゆっくり、丁寧にいきましょう。この作品では、オブジェクト編集
の基本となる押し出し（E）、拡大・縮小（S）、インセット（I）、辺ループ
の挿入（Ctrl ＋ R）を活用して形状を作成していきます。

新出機能の確認

拡大・縮小

オブジェクトモードまたは編集
モードで、面や線を指定の方向
に引っ張ります。S を押した後
に、X Y Z を押すとそちらの方
向のみに移動を制限することが
できます。

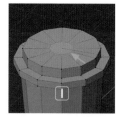

インセット

編集モードで特定の面を選択し、
I を押すと、内部に一回り小さ
な新たな面を挿入されます。そ
の後 Ctrl を押すことで、差し
込みの深さを調整できます。

押し出し

編集モードで特定の面を選択し、
指定の方向に引っ張ります。E
を押した後に、X Y Z を押すと
そちらの方向のみに移動を制限
することができます（固定され
ていた場合は解除されます）。

辺ループの挿入

Ctrl ＋ R を押し、表示される黄
色いラインを確認しながら辺
ループを挿入する方向を決めま
す。Ctrl ＋ R の後に数字を入力
すると、その数だけ辺ループが
挿入されます。

Step 1 ｜ 基礎となる円を作ろう

画面右上のアイコンをクリックするか、テ
ンキーの 5 を押して［平行投影］モード
にします。押す度に切り替わり、現在のモー
ドが左上の表示で確認できます。

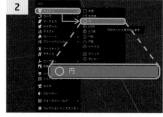

デフォルトで表示されている立方体は削除
し（X）、［オブジェクト追加］（Shift ＋
A）から［メッシュ］→［円］を選択し、円
のオブジェクトを追加しましょう。

挿入された円を調整していきます。3D
ビューポートの左下に現れるオペレーター
パネルのヘッダーをクリックして、オペ
レーターパネルを開きます。

「頂点数」をデフォルトの32から12に変更します。すると角ばった形状に円が変化します。他の設定項目は変更する必要はありません。

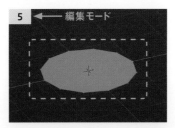

ベースとなる面を作成していきます。編集モードに入って（[Tab]）、作成した円に[フィル]で面を張ります（[F]）。
編集モード→p.25、フィル→p.82

Step 2 ｜ カップとストローを作ろう

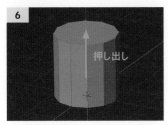

ここから円を筒状の立体にしていきます。面選択モード（[3]）で面を選択し、上に向かって［押し出し］ます（[E]）（Z軸方向に固定されない場合は[E]→[Z]）。

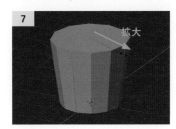

立体を少し変形させてカップの形を作っていきます。立体の上の面を外側に少し［拡大］しましょう（[S]）。
拡大・縮小→p.56

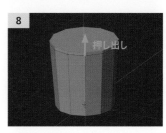

上側の面が選択された状態になっていることを確認して、上に向かって少し［押し出し］ます（[E]）。
押し出し→p.56

外側に少し［拡大］します（[S]）。拡大した後に微調整したい場合は、上面が選択された状態で再度［拡大・縮小］（[S]）してみましょう。
拡大・縮小→p.56

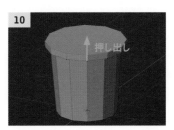

上方に少し［押し出し］ます（[E]）。カップの縁に当たる側面が形作られていきます。完成形をイメージしながら変形していきましょう。
押し出し→p.56

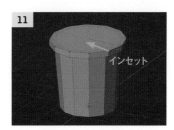

カップの蓋に当たる部分を更にモデリングしていきましょう。上面が選択された状態で、内側に少し［インセット］します（[I]）。うまくいかないときは下のTips参照。

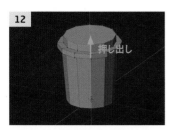

12

上方に少し［押し出し］ます（E）。このとき、先に作成した縁の側面より少し高くすることで、形状にメリハリを付けられます。
押し出し→p.56

13

最後に、カップに挿さるストローを表現していきます。新しくできた1番上の面の内側に［インセット］して、小さい円を作成します（I）。

14

インセットでできた面をZ軸上方向に向かって［押し出し］ます（E）。これでストローの部分ができました。
押し出し→p.56

15

ここからストローを筒状にしていきます。先端の円形の面を、内側に［インセット］します（I）。
インセット→p.56

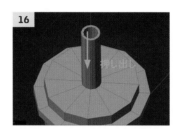

16

インセットでできた面を、Z軸下方向に向かって［押し出し］ましょう（E）。押し込む操作も［押し出し］といいます。これでストローの穴に当たる部分が作成できました。

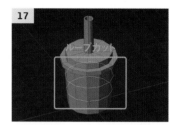

17

後に色分けを行うための境界線を作成しておきます。［辺ループの挿入］で2本の辺ループを挿入します（Ctrl + R → 2 → Enter → Esc）。これでモデリングは完了です。

TIPS

辺ループの挿入を使用するコツ

　辺ループの挿入は、Enter を押して（またはクリックで）辺ループの表示がオレンジ色になった後に、ドラッグで場所を移動できます。移動させた位置を確定させるには、再度 Enter またはクリックを行います。エリアの中で等分の位置で確定させたい場合は Esc を押します。

Step 3 ｜ **色と背景を設定する**

18

レンダープレビューに移行して、マテリアルを設定しましょう。この時、真っ暗になっている方は、アウトライナーのライトが非表示になっていないか確認してみてください。
オブジェクト（ライト）→p.46

19

オブジェクトを選択した状態で、［マテリアルプロパティ］を開き「新規」をクリックしてのマテリアルを作成します。
新規マテリアル→p.45

20

わかりやすいように名称を付けます。データブロックをダブルクリックして名称を「白」に変更しましょう。
マテリアル名→p.45

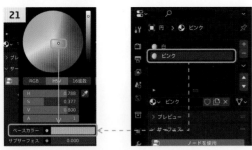

マテリアルスロットの「＋」をクリックしてから新規をクリックし、マテリアルをもう1つ追加します。このマテリアルの名称を「ピンク」に変更したら、「ベースカラー」をクリックして、マテリアルピッカー上でピンク色を設定します。

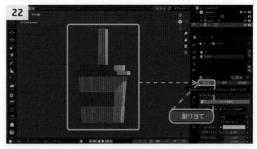

フロントビュー（テンキー1）、透過表示（Alt / Option + Z）にして、ボックス選択でこのように選択し、ピンクのマテリアルを割り当てます。
透過表示→p.29、ボックス選択→p.28

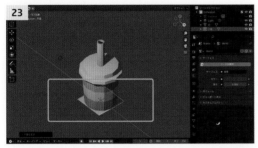

背景をつくっていきます。平面を追加し（Shift + A）、［拡大］（S）します。

平面にピンクのマテリアルを割り当てて、背景を作成します。平面が小さい場合、さらに［拡大］（S）します。

ライトを選択して、「ライトプロパティ」を開きましょう。「ポイントライト」から「サン」に変更し、「強さ」を4にします。

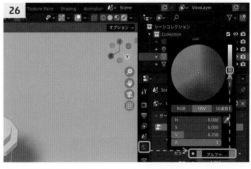

ワールドプロパティを開いて、「カラー」をクリックしてカラーピッカーを開きます。濃いグレーから薄いグレーへ変更します。

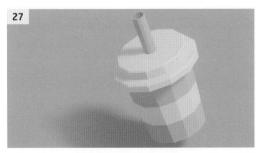

適宜、ボトルのオブジェクトとライトを［回転］し（R）、環境設定・レンダリングをして3Dシーンの作成は完了です！ ワールド・ライト・カメラやレンダリング時の設定に関しては、レッスンページを参照しましょう。

YouTube

動画でもRecipeを確認

https://youtu.be/v9YS2iYHiZQ

マグカップ
をつくろう

サンプルダウンロード | Part 1 > 📁 Recipe 02

プリミティブな形状（p.23）に最低限の編集を加えて、回転・移動をして組み合わせることにより表現できる形状はたくさんあります。それさえできれば、スムーズシェードを適用して、簡単にそれらしいモデリングができてしまいます。また、実世界に角が尖っているものは少ないため、ベベル（面取り）を効果的に使うと良いでしょう。このときにループ選択が役に立ちます。

新出機能の確認

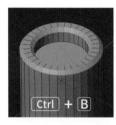

辺のベベル

メッシュに面取りや丸みを帯びた角を作成することができます。ショートカット（Ctrl + B）を押した後、マウスをスクロールさせると、セグメント数（分割数）を設定できます。

回転

1つまたは複数の軸、またはピボットポイントを中心に、要素（頂点、辺、面、オブジェクトなど）を回転します。Rを押した後にX Y Zを押すとそちらの方向のみに移動を制限することができます（軸のロック）。

ループ選択

編集モードで、端から端まで一直線に接続されている頂点・辺・面のループを選択します。意図した方向に選択できない場合は、作用させたいループの方向の頂点・辺・面の間を狙うようにしましょう（p.87）。

スムーズシェード

スムーズシェードは、メッシュを細分化することなく、なめらかな陰影付けを行うことができます。オブジェクトモードで右クリックすると、スムーズシェードを含む「オブジェクトコンテクストメニュー」を呼び出すことができます。通常は自動スムーズまで行ってくれる「自動スムーズシェード」（Shade Auto Smooth）を選択すればよいでしょう。自動スムーズとは、滑らかなサーフェスと鋭い辺のバランスを取る機能です。

Step 1 | カップの外形をつくろう

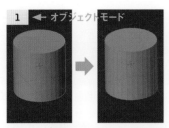

立方体を［削除］し（X）、円柱を追加したら（Shift ＋ A）、編集モードに入ります（Tab）。

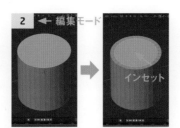

面選択モードにして（3）、上面を選択し、［インセット］（I）を行います。

インセットした箇所を少しだけ下方へ押し出します（E）。

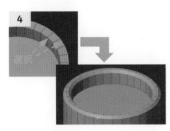

辺選択モード（2）で、Shift を押しながら上部の角の辺ループを同時に2カ所選択（Alt / Option ＋左クリック）したら、［ベベル］をかけます（Ctrl ＋ B）。

左下に現れるオペレーターパネルの「セグメント」の数を1から5に変更しましょう。ベベルがなだらかになります。
辺のベベル→p.60

底面も同様に［ベベル］（Ctrl ＋ B）をかけましょう。こちらは自動的に、先ほどと同じセグメント数が5になっています。

Step 2 | 持ち手をつくろう

オブジェクトモードに戻ったら（Tab）、トーラスを追加します（Shift ＋ A）。

X軸を中心に90度［回転］させます（R → X → 90）。

大きさ（S）と位置（G）を調整します。
拡大・縮小→p.56

マグカップ本体の円柱とトーラスを shift を押しながら同時に選択して、自動スムーズシェードを使用しましょう（右クリック）。

トーラスをよりスムーズにシェーディングするために、オブジェクトデータプロパティの「ノーマル」の「自動スムーズ」の値を30°から35°に変更します。

レンダープレビューに移動して、マテリアル設定をしていきましょう。
マテリアル設定→p.45

カップ本体、取っ手、中身の3色で塗り分けます。

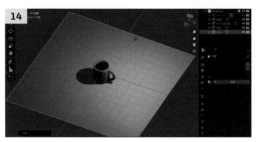

背景となる平面を追加し（ Shift ＋ A ）、環境を作成していきます。

エリアライトをこのように配置して（ Shift ＋ A ）、オブジェクトデータプロパティを開いて「パワー」を1000Wにします。

メタボールで湯気を表現しよう *Tips*

メタボール（ Shift ＋ A ）で湯気の表現を追加してみます。メタボールを複数追加すると、メタボール同士で引力が働いて勝手に変形されます。メタボールの滑らかさ（解像度）は、メタボールのオブジェクトデータプロパティのメタボールのビューポートの解像度、レンダからそれぞれ設定します。一つ一つのメタボールは、メタボールのひとまわり外側にある輪を掴んで編集します。

環境設定・レンダリングをして完成です！

YouTube

動画でもRecipeを確認

https://youtu.be/KxAMC-PRBOU

オブジェクト、メッシュって何？

オブジェクトは、①位置・角度・大きさといった基本的な情報を指しますが、②そのオブジェクトの種類によって異なるさまざまな付加情報（＝オブジェクトデータ）を含めてもオブジェクトとよびます。

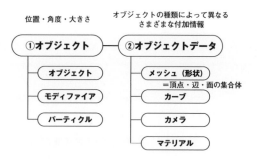

画面右上のアウトライナーを見てみると、立方体のオブジェクト配下に、メッシュとモディファイアそれぞれ配置されていることが分かります。

形状（メッシュ）は、頂点、線、面の集合体です。3Dの世界では、面の集合体をポリゴンと呼び、メッシュとポリゴンは近い意味を持ちます。

メッシュやカーブなどのことをまとめてジオメトリとよびます。頂点・辺・面を定義づけるデータと捉えると理解しやすいです。ジオメトリを生成してメッシュ≒ポリゴンを形作るというイメージです。

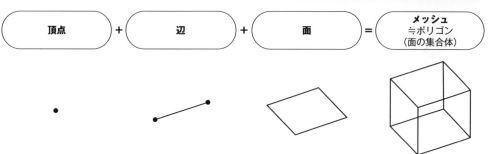

Recipe
03

家のアイコンを
つくろう

似た形の立体を組み合わせる際に、メッシュを複製して、分離し、別オブジェクトとしてモデリングしていくと効率が上がる場合があります。また、面を細分化して制御点を増やすことで、表現を詳細化し、複数のメッシュを同時にインセットすることで繰り返しの形状が作成しやすくなるでしょう。

新出機能の確認

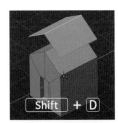

コピー

選択したオブジェクトまたはメッシュをコピーします。複製した後にすぐに確定（ Enter ）すると、元のオブジェクトと同じ位置に作成されます。

Shift ＋ D

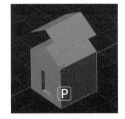

分離

編集モードで頂点・辺・面を選択し P を押すと、選択した部分が別のオブジェクトとして分離されます。

P

細分化

編集モードの右クリックメニューから、頂点・辺・面をを細かく分割します。面や辺を小さな単位に分割することにより、メッシュに解像度を追加します。

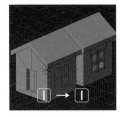

複数面の
個別のインセット

I を押した後に再度 I を押すと、それぞれの面で新規の面を個別に差し込むのか、差し込みを統合するのかを切り替えることができます。

I → I

Step 1　│　家のベースをつくろう

1　← オブジェクトモード

まず、家の本体を作っていきましょう。立方体を選択し、編集モードへ入ります（ Tab ）。

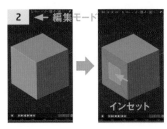

2　← 編集モード

インセット

面選択モード（ 3 ）でフロント側の面を選択し、[インセット]（ I ）を行います。
インセット→p.56

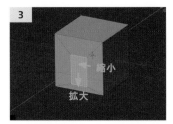

3

縮小
拡大

インセットした面の大きさを調整します（ S → X で左右方向に［縮小］、 S → Z で上下方向に［拡大］）。位置も少し下にします（ G ）。

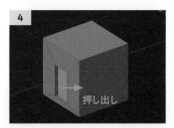

内側に少し［押し出し］ます（E）。
押し出し→p.56

辺ループを挿入して（Ctrl＋R）、立体を左
右に分割します。

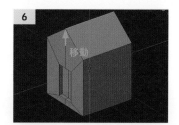

辺の選択モード（2）で上部の辺のみを上
方へ［移動］します（G→Z）。

面選択モード（3）で、上面2面を選択し、
［コピー］（Shift＋D）して決定後
（Enter）、別オブジェクトとして［分離］
（P）します。

オブジェクトモードで分離したオブジェク
トをアウトライナーで選択しましょう。A
で［全選択］します。
分離→p.64

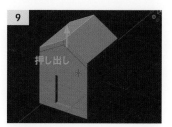

編集モードに入り（Tab）、上方に［押し出
し］ます（E→Z）。
押し出し→p.56

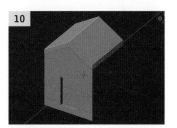

全体を選択します（A）。
全選択→p.28

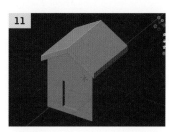

［拡大］（S）しましょう。

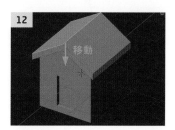

バランスを見て、必要に応じて下方へ移動
させます（G→Z）。

Step 2 ｜ 窓をつくろう

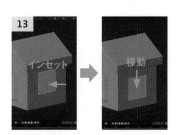

立方体を再度選択、編集モードに入り、側面
を選択して［インセット］（I）を行った後、
下方へ移動させ（G→Z）ます。

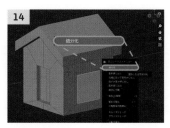

細分化します（右クリック）。
細分化→p.64

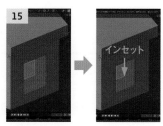

そのまま［インセット］します（I）。
インセット→p.56

再度[I]を押し、[個別にインセット]します。
インセット（個別）→p.64

TIPS

複数面の個別のインセット

16 は、左下に現れるオペレーターパネルの「個別」にチェックを入れるのと同等の操作です。[I]キーを繰り返し押すことでも、個別の面に差し込むか、まとめてインセットするかを切り替えることができます。

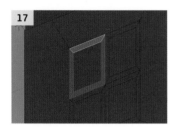

[Shift]を押しながら[ループ選択]（[Ctrl]＋[R]）を進めていきます。

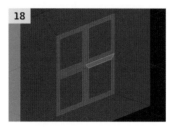

窓枠になる全ての箇所を選択します。
ループ選択→p.64

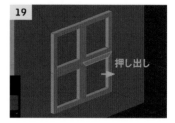

X軸方向に[押し出し]たら（[E]→[X]）、オブジェクトモードへ戻ります（[Tab]）。

Step 3 | 家の土台をつくろう

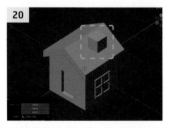

立方体を追加し（[Shift]＋[A]）、[縮小]（[S]）、[移動]（[G]）してこのように配置します。

編集モードで（[Tab]）、上下方向に[拡大]します（[S]→[Z]）。

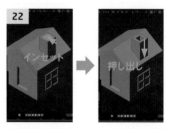

そのまま上面を[インセット]（[I]）、内側へ[押し出し]ます（[E]）。

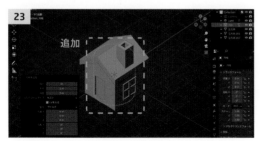

円柱を追加します（[Shift]＋[A]）。

[拡大]して（[S]）、上下左右に[縮小]し（[S]→[Z]）、[移動]（[G]）してこのように調整します。

立方体を追加し（[Shift] + [A]）、大きさと位置を調整しましょう。

その立方体を［コピー］して（[Shift] + [D]）、このように配置します。

Step 4 | マテリアル設定をして仕上げよう

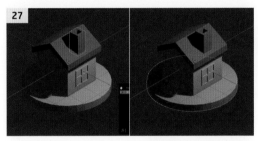

レンダープレビューに移動して、マテリアル設定をします。
マテリアル設定→p.45

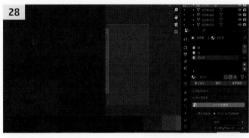

窓の桟は、フロントビュー（テンキー[1]・透過表示（[Alt] / [option]
+ [Z]）にしてボックス選択で一括選択して、白色を割り当てます。

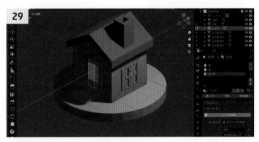

このようにパーツごとに色を割り当てます。

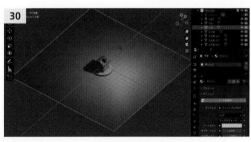

背景となる平面を追加します（[Shift] + [A]）。

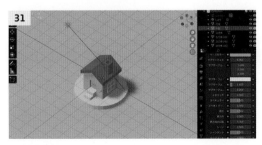

ライトを選択して、ライトプロパティでポイントライトからサンに、
強さを4に変更します。また、ワールドプロパティで環境のカラー
を濃いグレーから薄いグレーへ変更します。最後に環境設定・レン
ダリングをして、完成です！

YouTube

動画でもRecipeを確認

https://youtu.be/JJ6EdRI0FSE

文字を
モデリングしよう

Blenderには様々なオブジェクトが用意されており、テキストオブジェクトもその一つです。ロゴを作成して立体に貼り付ける等、用途は様々です。このレシピからモディファイアを活用していきます。一度作成したモディファイアはコピーも可能です。今回使用するラティスモディファイアは、オブジェクト全体を容易に変形できる便利なツールです。

新出機能の確認

┃ テキストオブジェクト

文字のオブジェクトです。3Dビューポート上に配置したら、[Tab] で編集モードに入り、文字を入力します（デフォルトでは「Text」となっています）。日本語に対応したフォントを選択すれば、日本語の入力も可能です。

┃ ラティスモディファイア

オブジェクトを変形させるモディファイアです。対象が複雑な形状でも、オブジェクト丸ごと変形することができます。細分化して制御点を追加することにより、より複雑な変形が可能になります。

Step 1 ┃ 文字を配置しよう

まず、テキストを配置していきましょう。立方体を［削除］し（[X]）、テキストを追加（[Shift] ＋ [A]）します。

「Text」という文字のオブジェクトが追加されました。平行投影のトップビュー（テンキー [7]）にします。

編集モードに入り（[Tab]）、[Back space] で元の「Text」という文字を削除します。

そこに「Moji」と入力します。

フォントの設定

フォントの設定は、テキストのオブジェクトデータプロパティで行います。フォルダのマークをクリックして、システム内のフォントを指定します。日本語をタイプしたい場合は、別のテキストエディタ等で入力したものをコピー&ペーストします。

オブジェクトモードに戻り（[Tab]）、文字を[回転]します（[R]→[X]→90）。
回転→p.60

フロントビュー（テンキー[1]）で見たときに前向きになるようになりました。

テキストのオブジェクトデータプロパティの「ジオメトリ」の押し出しの値を0.2にします。

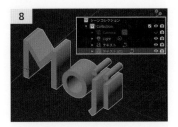

テキストオブジェクトを[コピー]して、そのまま少し後ろに移動します（[Shift]＋[G]→[Y]）。

このように少しずれて重なった状態にします。

テキストのオブジェクトデータプロパティの[ジオメトリ]→[ベベル]の深度の値を0.05に設定します。

Step 2 │ 文字に加工を加えよう

ここから、ラティスを用いてテキストオブジェクト全体に変形を適用していきます。

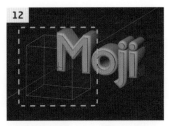

ラティスを追加します（[Shift]＋[A]）。

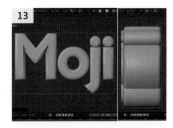

フロントビュー（テンキー[1]）、ライトビュー（テンキー[3]）でラティスの大きさをテキストオブジェクトとを合わせていきます。

モディファイア設定のコピー

「モディファイアを設定していないオブジェクト（複数でも可）」→「目的のモディファイアを設定済のオブジェクト」の順に[shift]を押しながら選択し、モディファイアパネルのプルダウンの「選択にコピー」を選ぶと、設定したモディファイアがコピーされます。モディファイアは元となるメッシュには変更を加えず、非破壊的に変形するための機能です。手動で行うには面倒な多くのエフェクトを適用することができ、確定（適用）するまでは、調整や取り消しが容易にできるだけでなく、このようにコピーも容易です。詳しくはLesson 05を参照しましょう。

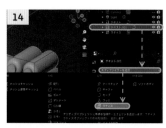

コピーしたテキストオブジェクトを選択し、モディファイアプロパティからラティスを追加しましょう。
ラティスモディファイア→p.68

モディファイアプロパティパネルの「オブジェクト」で、先ほど追加したラティスオブジェクトを選択します。

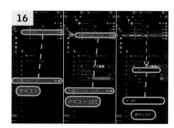

元のテキストオブジェクト、コピーしたオブジェクトの順に shift を押しながら「選択し、モディファイアのプルダウンの中の「選択にコピー」を選ぶと、設定したモディファイアがコピーされます。

フロントビューでラティスを選択し、編集モード（ Tab ）に入ります。

ボックス選択でラティスの頂点を選択し、移動させるとこのようにテキストオブジェクト全体が変形されます。

ここでは右側の4点を［ボックス選択］（ B ）し、Z軸方向に上に［移動］させました（ G ）。

Step 3 ｜ マテリアル設定をして仕上げよう

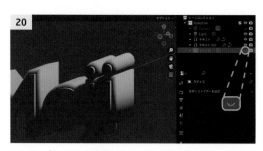

レンダープレビューに移動して、マテリアル設定をしていきます。この時、アウトライナーでラティスは非表示にしておきます。

背景となる平面を追加します（ Shift ＋ A ）。
マテリアル設定→p.45

環境設定・レンダリングをして完成です！

YouTube

動画でもRecipeを確認

https://youtu.be/K6X_skhb9gQ

ペンタブレットでモデリング？ ｜ Column

　私はパソコンで絵を描く機会が多く、タブレットを使うことに慣れています。同じように、ペンタブレットを使うことに慣れている方は、ペンタブレット操作にチャレンジしてみてください。また、ペンタブレット導入がまだの方も、長時間のマウス使用で手が疲れてしまう方にはお勧めです。

　Blenderでは、グリースペンシルやテクスチャペイント等、直感的にペン使うのが有効な機能も充実しているため、そういった意味でもぜひペンタブレットの導入をおすすめします。

Blender特有の設定を見てみよう

　ペンタブレットをBlenderで使用する場合と、それ以外のアプリケーションで使用する場合とでは、設定を明確に分けたほうが賢明です。

　一例として、Wacomのペンタブレットの設定画面（左）を見てみましょう。

　こちらで、使用するアプリケーションごとにタブレット本体や、ペンのスイッチに設定する機能の割り当てが行えます。

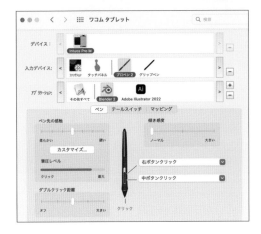

中ボタンをどこに割り当てるか？　がカギ

　Blender以外のアプリケーションでは、スクロールは使用するものの、マウスの中ボタンクリックを積極的に使用する機会があまりありません。

　ですが、Blenderの場合は中ボタンを使用して視点操作を行います。ですので、ペンの最もアクセスしやすい位置に中ボタンクリックの設定をしておく

と便利に使えます。

　ペン先にはクリック、辺の２つのボタンのアクセスしやすい方（通常はクリックに近い＝親指に近い方）に中ボタン、残りに右ボタンを割り当てると使いやすいでしょう。

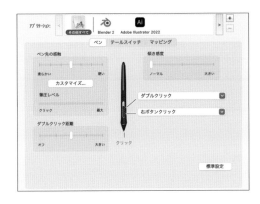

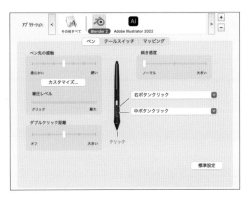

Recipe

05

おたまを
つくろう

サブディビジョンサーフェスモディファイアで滑らかさを、ソリッド化モディファイアで面の厚みを擬似的に表現し、スピーディにモデリングを進めていくことができます。編集モードで編集する際には、透過表示やプロポーショナル編集等の便利なツールを駆使して、より複雑なポリゴンモデリングに挑戦していきましょう。

新出機能の確認

サブディビジョンサーフェスモディファイア

ジオメトリの分割数を変更せずに、複雑で滑らかなサーフェスを表現できます。同じ形状のポリゴンデータよりデータ量が少なくでき、少ない頂点数でジオメトリをコントロールできます。

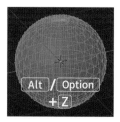

透過表示

選択ツールを使用する際に注意したいのは、3D ビューポート上の現在の視点で見えていない部分のオブジェクト・メッシュは選択されない点です。見えていない部分も含めて選択したい場合は、透過表示に切り替えてから選択しましょう。

ソリッド化
モディファイア

メッシュの面に厚みを持たせます。「幅」で厚みを設定し、表と裏の厚みのバランスを「オフセット」で調節します。平面のオブジェクトを手軽に立体化することができます。

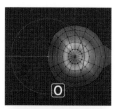

プロポーショナル
編集

プロポーショナル編集は、選択した要素への編集が、近くの他の要素に影響するようにするモードです。編集時に現れる輪が、プロポーショナル編集の影響範囲を表しています。影響する度合いは選択された要素との距離に比例します。プロポーショナル編集は、より細分化された頂点密度の高いメッシュをスムーズに編集するのに便利です。

Tips

Matcap で疑似ライティング

金属などの光沢のある立体に関しては、ソリッドモードでモデリングする際に、Matcap という、事前にレンダリングした画像を立体に当てはめて、擬似的なライティング表現を行う方法を活用すると良いでしょう。ソリッドモードの状態で、「3D ビューのシェーディング」メニュー横のプルダウンを押し、照明メニューの MatCap を選択し、その下にある球をクリックすると、様々な MatCap 画像が選択できます。

Step 1 | おたまの外形をつくろう

立方体を［削除］し（Ｘ）、UV球を追加して（Shift＋Ａ）、左下に現れるオペレーターパネルで「セグメント」「リング」共に16に設定します。

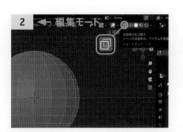

平行投影・ライトビューで編集モードに入り（Tab）、右上の透過表示のアイコンをONにしておきます（Alt／Option＋Ｚ）。
透過表示→p.72

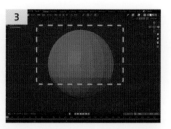

［ボックス選択］（Ｂ）でこのように範囲選択したら、頂点を［削除］（Ｘ）します。

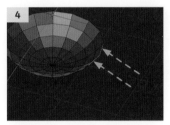

辺選択モード（２）にして、右側の2つの辺を選択します。

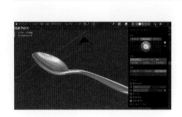

3Dビューのシェーディング

形状やハイライトを確認しながらソリッドモードでモデリングすることができます。レンダープレビューの右側のプルダウンを開くと設定できます。今回はMatCapの光沢のあるシェーディングを利用しています（左ページのTips参照）。

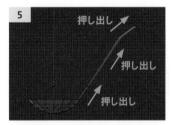

フロントビュー（テンキー１）にして、先ほど選択した2辺を［押し出し］ます（Ｅ）。同様に、更に2回［押し出し］ておたまのシルエットを作りましょう（Ｅ）。

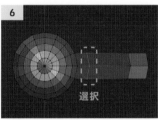

トップビュー（テンキー７）で見て、点選択モード（１）で持ち手の中心付近の3点を選択し、Y軸方向に縮小させて形状を調整していきます（Ｓ→Ｙ）。

このように各部位ごとに調整します。
拡大・縮小→p.56

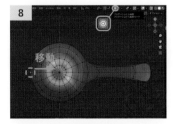

プロポーショナル編集のアイコンをオンにして、先端の頂点を移動させます（Ｇ→Ｘ）。そのあとプロポーショナル編集はオフにします。
プロポーショナル編集→p.72

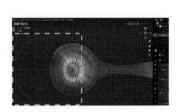

プロポーショナル編集の影響サイズ

この時に現れる輪はプロポーショナル編集の影響範囲を表しており、マウスのスクロール（またはトラックパッド）で拡大・縮小できます。

オブジェクトモードに戻り（Tab）、サブディビジョンサーフェスモ
ディファイアを追加します。
サブディビジョンサーフェスモディファイア→p.72

「ビューポートのレベル数」と「レンダー」の数をそれぞれ3にして
おき、自動スムーズシェードを使用しましょう（右クリック）。
自動スムーズシェード→p.60

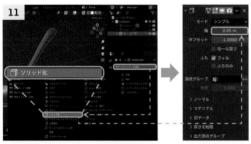

次に、オブジェクトに厚みを付けます。ソリッド化モディファイアを
追加し、モディファイアープロパティの「幅」の値を0.05にします。
ソリッド化モディファイア→p.72

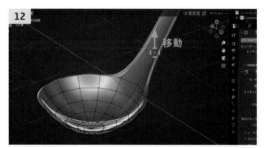

編集モード（Tab）でおたまの断面を調整します。このように、中
心の頂点を複数掴んで、上に持ち上げて（G→Z）、持ち手の膨ら
みを作ります。

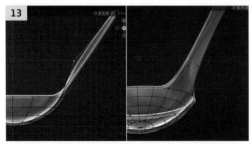

一度フロントビュー（テンキー①）にして頂点を動かす（G）と、Y
軸方向にずれることなく移動できます。

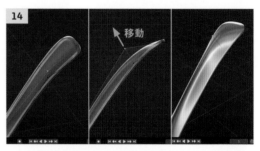

持ち手先端部も同様に中心の点を掴んで持ち上げ（G）、断面の膨ら
みを作りましょう。

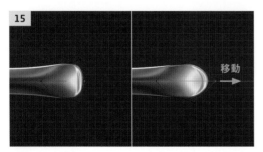

同様に、トップビュー（テンキー⑦）で見て、持ち手の先端部分を
このように調整します（G→X）。

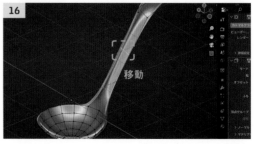

持ち手の付け根をもう少し細くしてみましょう。[辺ループを挿入]
し（Ctrl+R）、付け根の辺に向かって[移動]させます（G）。

サブディビジョンサーフェスでは、頂点が密集しているところほど、丸みがタイトになります。

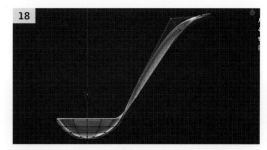

フロントビュー（テンキー①）で見た時に、中心の頂点がこのように綺麗なカーブを描くように調整すると、美しい断面が作成できます。

Step 3 | 背景を設定しよう

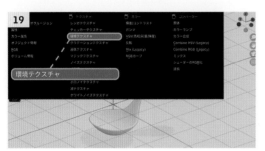

オブジェクトモードに戻り（Tab）、レンダープレビューに移動して、マテリアル設定をしていきましょう。背景となる平面を追加したら（Shift＋A）、環境テクスチャを読み込みます。

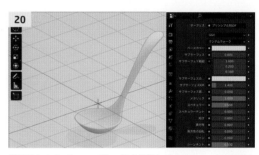

環境テクスチャについてはp.49を参照してください。今回使用した環境テクスチャは下のTipsで紹介しています。
環境テクスチャ→p.49

おたまを金属のマテリアルにします。おたまを選択し、新規マテリアルを作成し、メタリックの値を1、粗さの値を0にします。

レンダリングをして完成です！

Tips

金属のレンダリングのコツ

金属のレンダリングをする際には、p.43の通りマテリアルのメタリックの値を1、粗さを0にしたら、環境を映り込ませましょう。ここではフリー素材（https://polyhaven.com/a/venetian_crossroads）を使用しました。

YouTube

動画でもRecipeを確認

https://youtu.be/nnc80zpAOD0

カラーコーンを
つくろう

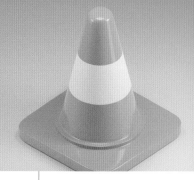

/ Part 1

サンプルダウンロード | Part 1 > 📁 Recipe 06

Blenderの標準拡張機能であるLoopToolsというアドオンを使えば、様々なメッシュ変形が自動で行え、メッシュのスライド移動の機能と合わせてポリゴンモデリングの表現を加速してくれるでしょう。サブディビジョンサーフェスモディファイアを用いて全体を滑らかにしたら、辺のクリース機能を用いてメリハリをつけていきましょう。

新出機能の確認

┃アドオン

アドオンとは、Blenderで行う面倒な作業を楽に行える補助ツールとして使える拡張機能です。Blenderには標準搭載されているアドオンがいくつかあります。これらを有効化するためには、下のTipsを参照ください。

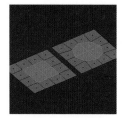

┃LoopTools

Blenderの標準アドオンには、選択しているメッシュを変形させるものがあります。今回は、選択した頂点・辺・面を円形状に変形してくれる機能を活用します。ポリゴンモデリングの際、断面を円形状とするものを作成したいときに便利です。

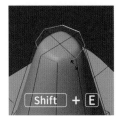

┃辺のクリース

「辺クリース」とはサブディビジョンサーフェスで、辺の丸さを調整する機能です。これを調整することで、シャープな辺を表現できます。シャープにしたい角を選択して、 Shift + E を押したら、ドラッグして角の大きさを調整します。

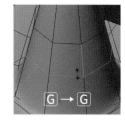

┃スライド移動

一度挿入し、確定してしまった辺ループも、再度ループ選択して、 G を2回押すことで（ G → G ）、メッシュに沿って移動させることができます。

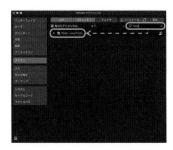

アドオンの導入

アドオンを有効化するためには、まず、トップメニューの「編集」→「プリファレンス」メニューの「アドオン」という項目を開きます。右上の検索ボックスで目的のアドオンを検索して、チェックを入れると有効化できます。ここでは、LoopToolsを検索し、有効化しました。見つからない場合は、「有効化アドオンのみ」のチェックをはずしましょう。

Step 1 | カラーコーンの形状をつくろう

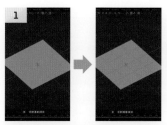

まず、カラーコーンの土台を作っていきます。立方体を［削除］（X）し、平面を追加して（Shift＋A）、編集モードに入ります（Tab）。細分化（右クリック）を2回行いましょう。
細分化→p.64

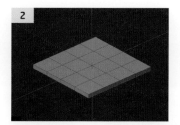

そのまま下方へ［押し出し］（E）、厚みをつけます。ある座標方向に押し出すときには、Eを押した後にその座標軸のキー（Z）を押すと、ずれることなく移動できます（軸のロック）。

面選択モード（3）で真ん中の4辺を選択し、LoopTools（右クリック）の「円」を適用します。これにより、選択した面を元に、円形状を作成することができます。
LoopTools→p.76

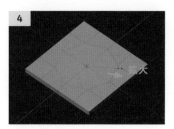

そのまま、円形状を少し［拡大］しましょう（S）。これが、カラーコーンの突起部分の根元になります。

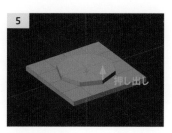

次に、そのまま少し上方に［押し出し］ます（E）。
押し出し→p.56

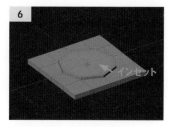

少し［インセット］します（I）。
インセット→p.56

そのまま上方に［押し出し］ます（E）。
押し出し→p.56

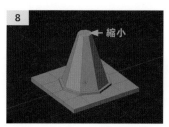

［縮小］します（S）。カラーコーンらしいアウトラインができてきましたね。

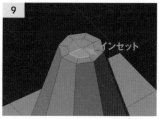

上面は［インセット］して（I）、面を分割しておきます。特に面積が広い面では、ポリゴンを四角形で構成することで、面にシワが発生することを防ぎます。

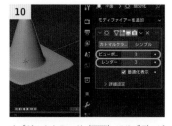

オブジェクトモード（Tab）でサブディビジョンサーフェスモディファイアーを追加し、「ビューポートのレベル数」と「レンダー」の数をそれぞれ3にしておきます。また、自動スムーズシェードを使用します（右クリック）。

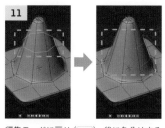

編集モードに戻り（Tab）、後に色分けするために、真ん中辺りに［辺ループを挿入］しておきます（Ctrl＋R）。そこから［ベベル］を適用して（Ctrl＋B）、2辺が挿入されている状態にしましょう。

一度挿入し、確定してしまった辺ループも、再度［ループ選択］して、Gを2回押すことで（G→G）、メッシュに沿ってスライド移動させることができます。
スライド移動→p.76

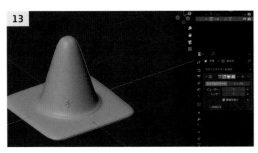

ここまでで、モデリングはほぼ完了です。ここからは形状の調整とステリアル設定をしていきましょう。

全体的に形が柔らかいので、編集モードに戻って（Tab）、辺のクリースを活用しながら、角丸みを調整していきます。角の丸みを調整したいループを選択し、Shift + E を押したら（辺のクリース）、マウスを動かして、角の丸みを調整しましょう。

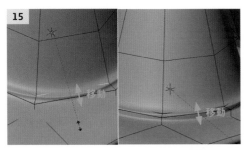

土台に近い側の辺も辺のクリースを活用しながら調整します。
辺のクリース→p.76

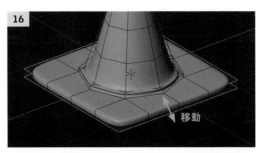

2つの辺ループを同時に選択して、辺のクリースを調整することも可能です。サブディビジョンサーフェスモディファイアで滑らかになったポリゴンを、辺のクリースでシャープにする技は、様々な場面に応用できるでしょう。

これでモデリングは完了です。マテリアル・環境設定をしたら、レンダリングをして完成です！

YouTube

動画でもRecipeを確認

https://youtu.be/NcHbPqMZ96M

トラブル解決：必要なメニューが出てこない？　　　　　　　Column

　右クリックのコンテクストメニューから「細分化」したいけれど、メニューに「細分化」が出てこない！　と
お悩みの場合、そんなときはモード（p.24）を確認してみましょう。コンテキストメニューはそのコンテキス
ト＝モードに合わせた内容になっています。

編集モード

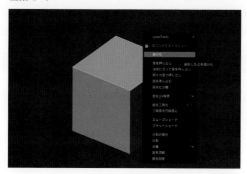

オブジェクトモード

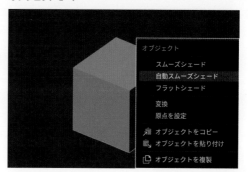

トラブル解決：ベベルがうまくかからない？　　　　　　　　Column

　ベベルが均等に適用されないというお悩みの声も
非常に多く聞きます。これは、ベベルを適用したい
オブジェクトに、スケールのトランスフォーム情報
（p.92）が残っているためです。この問題は、「オブ
ジェクトのトランスフォームを適用」することで解
消されます。また、後ほどベベルを適用するつもり
のオブジェクトには、編集モードで移動・スケール
することで、トランスフォーム情報を残さず、この
問題が回避できます。

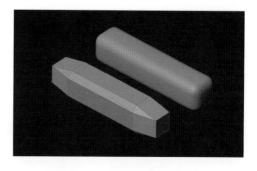

オブジェクトのトランスフォームを適用
（Ctrl＋A）

07

ボクセル風の木を
つくろう

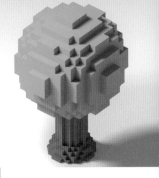

/ Part 1

サンプルダウンロード ｜ Part 1 > 📖 Recipe 07

リメッシュモディファイアでは面を自動的に再構成し、ボクセル風の表現に仕上げることが可能になります。また、今回のレシピでは、複数のオブジェクトをモデリングする際に選択オブジェクトのみ表示して、効率よくモデリングします。

新出機能の確認

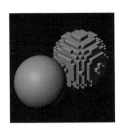

**リメッシュ
モディファイア**

リメッシュとは、より均一なトポロジーに、自動的にメッシュを再構築する手法です。今回のようにボクセル表現をしたい場合や、複雑なメッシュ形状を単純化させてデータ量を減らしたい場合に使用します。

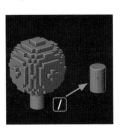

**選択オブジェクト
のみ表示**

複数あるオブジェクトの中で選択しているオブジェクトだけを表示させるには ⁄ を使用します。他のオブジェクトも表示させる際には再度 ⁄ を使用します。

Step 1 | **木の外形をつくろう**

立方体を[削除]し（Ⓧ）、平行投影にして（テンキー⒌）、UV球を追加します（Shift＋Ⓐ）。

このUV球にリメッシュモディファイアを適用します。
リメッシュモディファイア ▸p.80

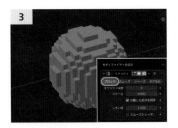

リメッシュモディファイアのプロパティで、ブロックを選択します。

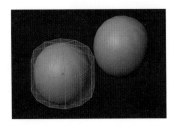

トポロジーとリポトロジー

トポロジーとは、ポリゴンの流れを指します。3Dの世界では、面の集合体をポリゴンと呼び、メッシュとポリゴンは近い意味を持ちます。例えば、一つの頂点に4つの辺が集まるのが理想的ですが、そうでない場合、面にシワがが発生することがあります。トポロジーを意識して、よりクリーンで綺麗な配列のポリゴンを目指しましょう。リトポロジーとは、メッシュのトポロジーを単純化して、メッシュをよりクリーンで操作しやすくすることを指します。手動で行う場合と、自動で行う場合があり、リメッシュモディファイアは自動で行う手法の1つです。モディファイアプロパティで定義された解像度に応じて、トポロジーの量を追加、削除できます。

円柱を追加し（Shift + A）、大きさ（S）と位置（G）を調整します。

オブジェクトモードで円柱を選択し、円柱だけを表示させたら（/）、編集モードに入ります。
選択オブジェクトのみ表示→p.80

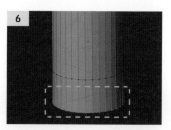

真ん中より少し下に［辺ループを挿入］し（Ctrl + R）、最下部の頂点ループを選択します（Alt / Option +左クリック）。

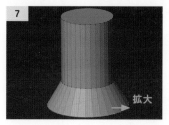

このように外側に広がるように［拡大］しましょう（S）。

オブジェクトモードに戻り（Tab）、非表示になっている他のオブジェクトを表示します（/）。

この円柱にリメッシュモディファイアを適用し、ブロックを選択します。
リメッシュモディファイア→p.80

Step 2 | マテリアル設定をして仕上げよう

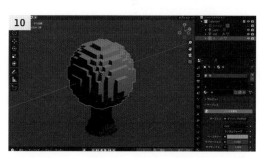

レンダープレビューに移動して、マテリアル設定をしていきます。
マテリアル設定→p.45

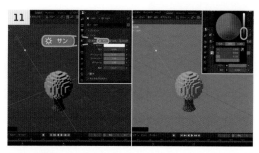

ライトを選択して、ライトプロパティでポイントライトからサンに、強さを4に変更します。また、ワールドプロパティで環境のカラーを濃いグレーから薄いグレーへ変更します。

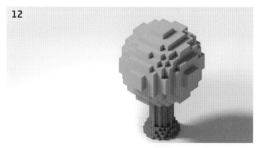

背景となる平面を追加し、環境設定・レンダリングをして完成です！

YouTube

動画でもRecipeを確認

https://youtu.be/TjZqJsjVVJw

Recipe

08

拡声器を
つくろう

ここでは一つの「円」を起点にモデリングしていきます。円から面を形成する際にはフィルを使用します。法線に沿って面を押し出したり、辺ループのブリッジを活用しながら、一つの円だけを起点としながらも様々な表現ができることを学びましょう。

新出機能の確認

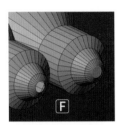

フィル

選択した頂点、または辺のグループから辺や面を形成します。頂点が2つ選択されていれば辺を形成します。頂点が3つ以上、または辺と辺が選択されていれば面を張ります。

`F`

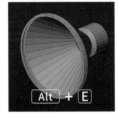

法線に沿って
面を押し出し

押し出す際に、選択したメッシュを法線（p.84）に沿って移動させます。複数の面をそれぞれの法線方向に一気に押し出すことができます。

`Alt` + `E`

辺ループのブリッジ

編集モードで、複数の辺ループを面として接続します。同一のオブジェクト内でのみ有効ですので、別オブジェクトの場合は、オブジェクトを選択して統合（`Ctrl` + `J`）しておきましょう。

編集モードで右クリック

頂点を揃える

スケールを用いて、位置の違う頂点を一直線に揃えることができます。例えば、高さを揃えたい場合は`S`を押した後に、`Z`→`0`→`Enter`の順に操作します。

`S` → `X`／`Y`／`Z` → `0`

Step 1 ｜ 拡声器の外形をつくろう

立方体を[削除]し（`X`）、円を追加します（`Shift` + `A`）。

回転

X軸を中心に90度[回転]させます（`R`→`X`→90）。この円を起点に、1つのオブジェクトで拡声器をモデリングしていきます。

押し出し

拡声器のメガホンの部分のアウトラインを作っていきましょう。編集モードに入り（`Tab`）、後方に[押し出し]ます（`E`→`Y`）。

4

さらにもう1回［押し出し］ます（E→Y）。
押し出し→p.56

5

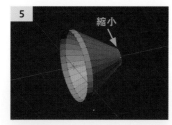

全体を［縮小］します（S）。
拡大・縮小→p.56

6

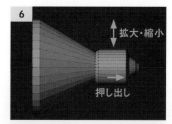

更に後方へ［押し出し］（E）、［拡大・縮小］しながら（S）、形状を作成していきましょう。この時、ライトビュー（テンキー3）で操作すると、編集しやすいでしょう。

7

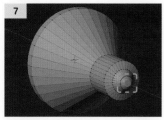

最後に残った穴に［フィル］で面を張ります（F）。
フィル→p.82

8

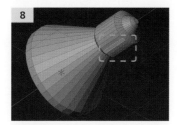

次に、メガホンの持ち手を作っていきましょう。面選択モード（3）でこのようにY軸の下の4つの面を選択しましょう。

9

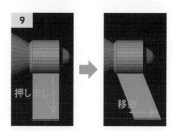

下方に［押し出し］たら（E→Z）、後方に［移動］します（G→Y）。

10

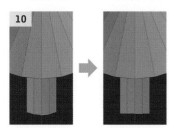

そのままフロントビュー（テンキー1）にして、［拡大・縮小］コマンドを活用して下端の高さを揃えます（S→Z→0）。
頂点を揃える→p.82

11

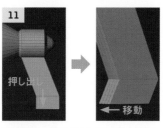

更に下方へ［押し出し］て（E）、前方へ［移動］させます（G→Y）。

12

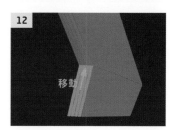

内角の5頂点を選択して、このように上方へ移動させて、位置を調整します（G→Z）。

13

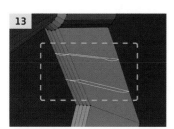

拡声器の持ち手のボタンを作っていきます。2本の［辺ループを挿入］します（Ctrl＋R→2→Enter／クリック→Esc）。

14

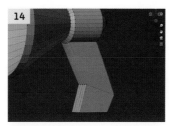

面選択モードにしましょう（3）。

15

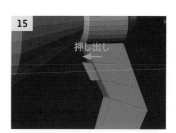

前方の2つの面を選択して前方に［押し出し］ます（E→Y）。ここがスイッチになります。

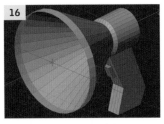

次に、メガホンの部分を再度作り込んでいきます。面をループ選択します（[Alt] /
[Option]＋左クリック）。

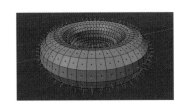

法線（ノーマル）とは

法線とは頂点・辺の接線や、面の一点における、接面に対して垂直な方向や線のことを指します。
※図はBlenderオフィシャルマニュアルより抜粋

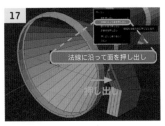

法線に沿って面を［押し出し］ます（[Alt]
＋[E]）。
法線に沿って面を押し出し→p.82

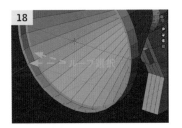

[Shift]を押しながら辺選択モード（[2]）でこの2つの辺ループを選択します（[Alt] /
[Option]＋左クリック）。

右クリックから［辺ループのブリッジ］を行い、面を張ります。
辺ループのブリッジ→p.82

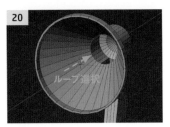

内側の辺ループを選択します（[Alt] / [Option]
＋左クリック）。

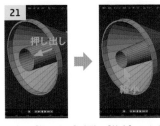

前方に［押し出し］（[E]）、［縮小］します
（[S]）。

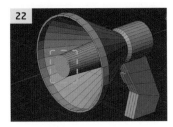

［フィル］で面を閉じます（[F]）。
フィル→p.82

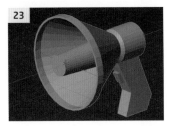

オブジェクトモードに戻り（[Tab]）、サブディビジョンサーフェスモディファイアを追加します。
サブディビジョンサーフェス→p.72

サブディビジョンサーフェスの「ビューポートのレベル数」と「レンダー」の数をそれぞれ4にします。

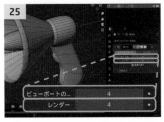

編集モードに入って（[Tab]）、［辺ループを挿入］しながら（[Ctrl]＋[R]）全体を整えます（次ページのTips参照）。

Tips

サブディビジョンサーフェス追加時のモデリング

カラーコーンを作成した際には、サブディビジョンサーフェス追加時に「辺のクリース」(p.76) を用いて辺をシャープにしました。

辺をシャープにする別の方法として、辺ループを挿入して分割していく方法があります。頂点の密度が高ければ角がタイトに、密度が低ければ滑らかな面になります。比較的、角を立たせたい所には辺ループを挿入しながら密度を高めていきます。

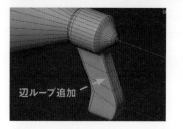

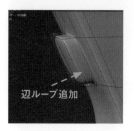

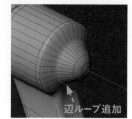

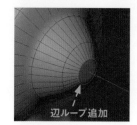

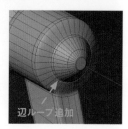

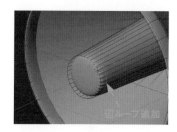

Tips

円柱のトポロジー

円柱は理想的なトポロジーではないため、サブディビジョンサーフェスを追加すると、広い面（円）が細かな側面に引っ張られてシワが寄ってしまいます。この場合、インセットして広い面を分割することにより、シワを回避できます。

※トポロジーに関してはp.80を参照しましょう。

マテリアル設定をして仕上げよう

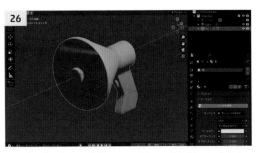

レンダープレビューに移動して、マテリアル設定をしていきます。
マテリアル設定→p.45

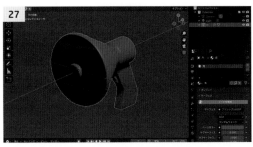

オブジェクトモードで全体を選択し、青を割り当てます。

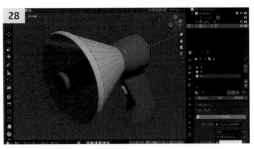

各パーツは編集モードで個別に選択して色を割り当てます。

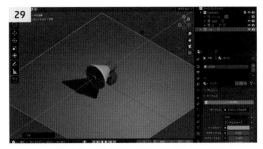

背景となる平面を追加し（ Shift ＋ A ）、ピンクを割り当てます。

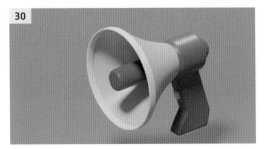

環境設定・レンダリングをして完成です！

色選びのコツ _Tips_

色を決める際には、それぞれのパーツが引き立つように、隣り合うパーツの色を明確に変えるのが良いでしょう。ここでは、持ち手は青、メガホンは黄色にして、それらの色が映えるように背景をピンクにしています。

YouTube

動画でもRecipeを確認

https://youtu.be/c7Tjy5u9igc

トラブル解決：うまくループ選択できない？

編集モードでループ選択（ Alt / Option ＋左クリック）すると、頂点・辺・面を一周ぐるっと選択することができます。ループ選択したいのに狙った範囲が選択されない、という声も多くあります。

ループ選択をする際には、選択したい方向の、2つの面の間を狙ってクリックすると良いでしょう。

トラブル解決：サブディビジョンサーフェスで面にシワが？

この問題は、円柱で顕著に生じます。トポロジー（p.80）と呼ばれる「ポリゴンの流れ」が良くない場合に、面にシワが発生することがあります。

この問題を回避するためには、できるだけ面を分割することです。1つの頂点に4つの辺が集まるのが理想的です。トポロジーを意識して、よりクリーンで綺麗な配列のポリゴンを目指してモデリングを練習していきましょう。

トラブル解決：オブジェクトを見失ってしまったら

モデリングをしている際に、対象のオブジェクトが画面から消えてしまった……というのはよくあるトラブルです。

そんなときには、アウトライナーで探し当てたいオブジェクトを選択し、ヘッダーメニューの「ビュー」→「選択をフレームイン」を選択しましょう。すると、探していたオブジェクトがビューポートの真ん中に表示されます。

Recipe
09

アヒルを
つくろう

ミラーモディファイアを用いて左右対称物のモデリングを効率的に行います。クリッピングをオンにして片側をモデリングすれば、反対側も同様に編集されます。今回は、これを利用して有機的な形状のモデリングに挑戦しましょう。

新出機能の確認

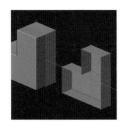

ミラーモディファイア

オブジェクトの原点、または軸として設定した「ミラーオブジェクト」を中心に、座標軸方向に反転して複製します。軸は複数選択できます。今回のように対称物をモデリングしたり、軸を中心にオブジェクトを対称に配置する際に使用します。

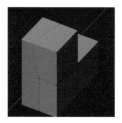

クリッピング

線対称のオブジェクトを作成するときにはモディファイアープロパティの「クリッピング」をオンにして、頂点を移動しても対称軸を超えないようにします。クリッピングがオフになっていると、このように、対象軸を超えて頂点が移動してしまいます。

Step 1 ｜ アヒルの形をつくろう

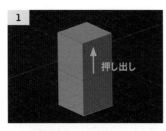

押し出し

アヒルの胴体を作っていきましょう。立方体を選択し、編集モードに入り（Tab）、面選択モード（3）で下面を[押し出し]ます（E）。

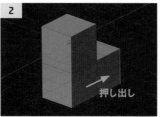

押し出し

背面を後方に[押し出し]ます（E → Y）。これがアヒルの形の基本になります。

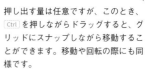

Tips

グリッドをスナップ

押し出す量は任意ですが、このとき、Ctrl を押しながらドラッグすると、グリッドにスナップしながら移動することができます。移動や回転の際にも同様です。

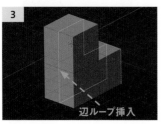

辺ループ挿入

[辺ループを挿入]し、ちょうど真ん中で確定させます（Ctrl + R → Enter / クリック → Esc）。

フロントビュー・平行投影にして、透過表示にしましょう（Alt / Option + Z）。このように片側の頂点群を[ボックス選択]します（B）。

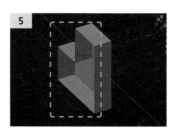

選択箇所の辺と面を[削除]します（X）。今回はこちら半分のみを編集してミラーをします。

その後、ミラーモディファイアを追加します。
ミラーモディファイア→p.88

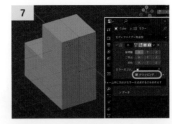

モディファイアープロパティの「クリッピング」にチェックを入れます。
クリッピング→p.88

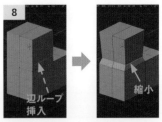

このように[辺ループを挿入]し（Ctrl＋R）、[縮小]して（S）、アヒルの首をつくります。

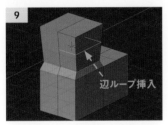

さらに[辺ループを挿入]します（Ctrl＋R）。

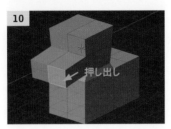

前面を選択して前方に[押し出し]ます（E）。

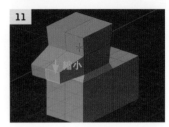

[縮小]して（S）、クチバシを作ります。

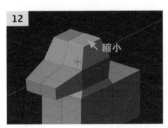

上面を[縮小]して（S）、頭の形状を調整します。アヒルの顔ができてきましたね。

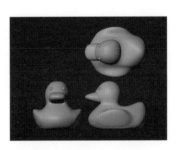

有機的なオブジェクトのモデリング

これまでの幾何学的な形状ではなく、有機的な形状をモデリングする際には、定期的にフロント・ライト・トップビュー（p.19）の3面でそれぞれのシルエットを確認するようにしましょう。複雑なオブジェクトも3面に展開して辻褄を合わせていくことで、思い通りの形が作成できるでしょう。

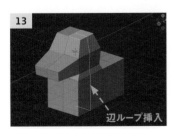

[辺ループを挿入]しながら（Ctrl＋R）メッシュを分割してシルエットを作っていきます。

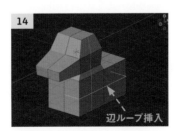

胴体にあたる部分の辺ループ挿入後に[拡大]して（S）、胴体を膨らませます。

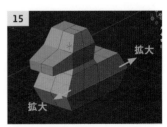

胴体部分の形状を確認しながら[拡大]していきましょう（S）。

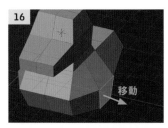

16

側面を選択して、外側に [移動] させましょう（G → X）。お腹の膨らみのシルエットができました。

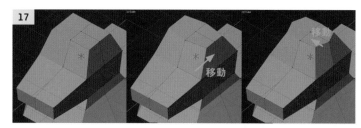

17

頭の角を選択し、Y軸に向かって [移動] します（G）。トップビュー（テンキー 7）で見たときに上面のシルエットが円に近づくように調整しています。

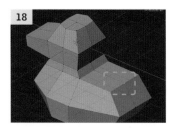

18

尾にあたる部分の頂点を点選択モード（1）で選択します。

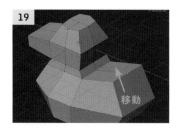

19

選択箇所を上部に移動しましょう（G）。このように、前後左右で確認しながら、頂点の位置を移動させ、3次元でシルエットを形成していくことができます。

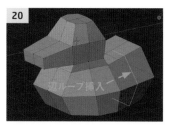

20

アヒルの羽を作っていきましょう。このように [辺ループを挿入] します（Ctrl + R）。

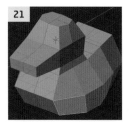

21

面選択モード（3）で面を選択します。

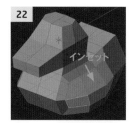

22

そのまま [インセット] します（I）。

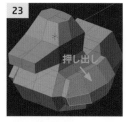

23

外側へ [押し出し] ます（E → X）。

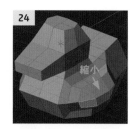

24

[縮小] します（S）。

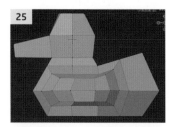

25

頂点を選択しながら、更に羽の形を整えて行きましょう。

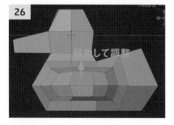

26

完成形をイメージしながら細かく調整します。

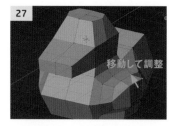

27

見る角度を変えながら調整します。

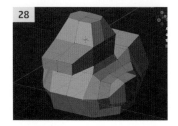

28

アヒルの胸元もふっくらさせます。Y軸上の頂点を選択し、前方に少し [移動] させましょう（G）。

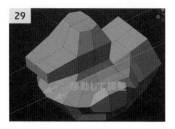

29

ここも様々な角度から確認しながら調整していきます。

YouTube

動画でもRecipeを確認

https://youtu.be/Q-It89KBrTk

Step 2 | 目を追加して仕上げよう

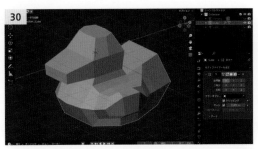

だいぶ形状が整ってきました。調整はここまでにして、仕上げを行っていきます。

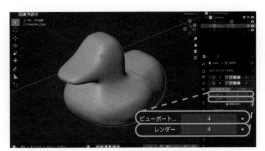

サブディビジョンサーフェスモディファイアを追加し「ビューポートのレベル数」と「レンダー」の数をそれぞれ4にします。その後、自動スムーズシェードを使用しておきます（右クリック）。

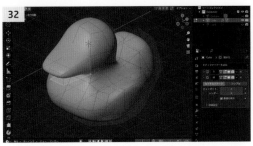

ここで、後ほど色分けがしやすいよう、クチバシを分離しておきます。再度編集モードに入り（Tab）、面選択モードでクチバシの部分だけを選択します。

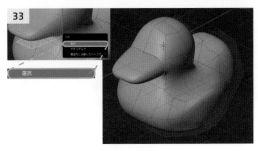

選択部分を分離します（P）。
分離→p.64

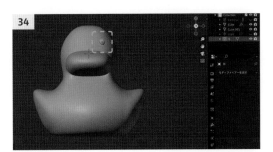

次に、アヒルの目を作っていきましょう。UV球を追加して（Shift + A）、[縮小]（S）、[移動]（G）させ、アヒルの目にあたる位置へ配置します。

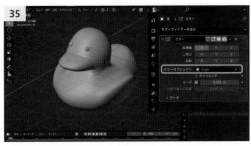

目にミラーモディファイアを追加しましょう。モディファイアープロパティの「ミラーオブジェクト」をアヒルの胴体に指定すると、目がX軸を対象軸にしてミラー反転されます。

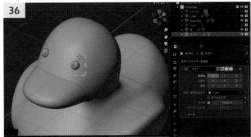

UV球を［コピー］して（shift + D）、目の中の光にあたる部分を作成します。
コピー→p.64

これで、モデリングは完了です。マテリアル・環境設定をしたら、レンダリングをして完成です！

Recipe

10

テレビを
つくろう

/ Part 1

サンプルダウンロード | Part 1 > 📁 Recipe 10

Recipe 08で活用したフィルは、頂点同士をつなぐという使い方もできます。配列モディファイアで繰り返しの形状を作成し、ブーリアンを用いてオブジェクトに穴を開けます。ツールやモディファイアが思った通りに動作しない際には、オブジェクトのトランスフォームを適用してみましょう。

新出機能の確認

頂点のフィル

フィルは、面を張るだけではなく、頂点同士、辺と辺の間を埋める役割も担います。同一のオブジェクト内でのみ有効ですので、別オブジェクトの場合は、オブジェクトを選択して統合（Ctrl+J）して使用します。

配列モディファイア

オブジェクトデータをコピーして、一定間隔でオフセットしながら配置します。複雑な繰り返しの形状を作成するのに便利です。オフセットの間隔は、モディファイアープロパティの「オフセット（倍率）」「一定のオフセット」「オフセット（OBJ）」を用途に応じて使い分けます。

ブーリアン
モディファイア

メッシュ同士を組み合わせて、1つのメッシュを生成します。ブーリアンには交差（重なる部分）、統合（全部分）、差分（重なる部分以外）の3種類の演算手法があります。ブーリアンを適用したいオブジェクトを選択してブーリアンを追加したら、演算の対象となるオブジェクトを指定します。

オブジェクトのトランスフォームを適用

オブジェクトモードで行った、拡大・縮小、回転などのトランスフォーム操作は、元の図形の性質を保持したまま、オブジェクトの「トランスフォーム」として反映されています（この例では位置がX方向に1m、X軸を中心に90°回転、Z方向のスケールが2倍）。これを適用すると、それまでの変更を保持しながら、オブジェクトの位置、回転、またはスケールの値がリセットされ、その形状のオブジェクトとして扱えるようになります。

Step 1 ｜ 本体部分のモデリングをしよう

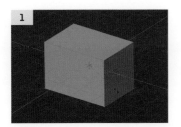

立方体をベースにしてテレビを作っていきましょう。編集モードに入り（[Tab]）、X軸方向に［拡大］します（[S]）。

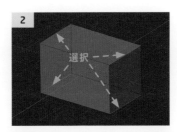

立方体の角をとっていきましょう。透過表示（[Alt]/[option]+[Z]）、辺選択モード（[2]）で4つの辺を選択します。

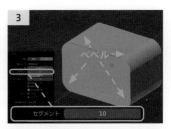

［ベベル］を適用したら（[Ctrl]+[B]）、左下に現れるオペレーターパネルの「セグメント」を1から10に変更します。

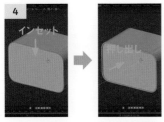

テレビの縁を作っていきましょう。前面を選択して［インセット］し（[I]）、そこから奥へ［押し出し］ます（[E]→[Y]）。

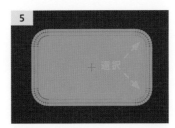

再度［インセット］したら（[I]）、フロントビュー、頂点選択モード（[1]）で最も内側の辺ループの右半分を選択します。

左側へ［移動］させます（[G]→[X]）。

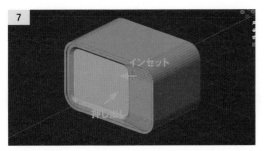

再び面の選択モード（[3]）にして、最も内側の面を選択、［インセット］してから（[I]）、奥に［移動］させます（[G]→[Y]）。

そのまま再度［インセット］し（[I]）、手前に［移動］させましょう（[G]→[Y]）。これでテレビの本体部分のモデリングは完了です。

オブジェクトモードに戻って、自動スムーズシェードを使用しましょう（右クリック）。
自動スムーズシェード→p.60

ベベルモディファイアを追加し、モディファイアープロパティの「セグメント」の数を1から5に変更します。セグメントの数が多いほど、分割が増えます。
ベベルモディファイア→p.116

次に、テレビにスピーカーの穴を開けていきます。円を追加し、円だけを表示しましょう（Z）。
選択オブジェクトのみ表示→p.80

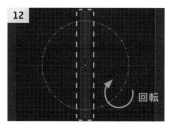

X軸を中心に90度［回転］させ（R→X→90）、フロントビュー（テンキー1）で編集モードに入り（Tab）、中心の2点をボックス選択（B）して［削除］しましょう（X）。

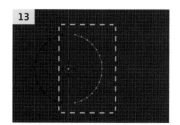

右半分の頂点群を［ボックス選択］します（B）。

右方向に［移動］させます（G→X）。

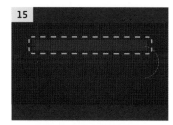

向かい合う頂点をそれぞれ選択しましょう。

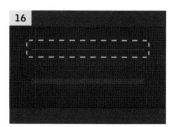

フィル（F）で繋ぎます。
頂点のフィル→p.92

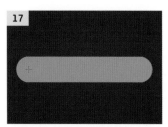

上下とも繋いだら［全てを選択］し（A）、［フィル］（F）で面を張ります。

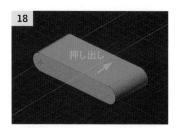

奥へ［押し出し］ます（E→Y）。ローカル表示を解除しましょう（Z）。

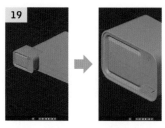

このパーツが、スピーカーの穴になるよう、大きさ（S）と位置（G）を調整します。

次に、スピーカーの穴のパーツに配列モディファイアを追加しましょう。モディファイアープロパティの「数」を2から8に、上方にコピーしたいのでXの値を0に、Zの値を1.5にします。

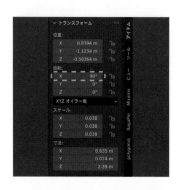

回転の情報

21 のように、想定した配列がされないことがあります。これは、穴のパーツが、回転の情報を持っていて、最初に円を追加してから、X軸を中心に回転させた情報が残っているためです。N を押してトランスフォームメニューを確認すると、Xの回転90度が残っているのがわかります。

穴のパーツに回転の情報が残っているため、これをリセットします。「オブジェクトのトランスフォームを適用」しましょう。[Ctrl]+[A]を押して「回転」を選択します。すると正しく配列されます。
トランスフォームを適用→p.92

次に、この穴のパーツを使って、テレビの本体に穴を開けていきましょう。テレビの本体のオブジェクトを選択して、ブーリアンモディファイアを追加します。モディファイアープロパティの「オブジェクト」は、先ほど作成した穴のパーツに設定します。

穴が空いているかを確認します。アウトライナーで、穴のパーツのオブジェクトを非表示にしてみます。すると、穴が開いていないことが分かりました。
ブーリアンモディファイア→p.92

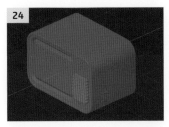

これは、穴のパーツと、テレビ本体との「面の向き」が逆さまになっていることが原因で起きています。下のTipsで確認しましょう。

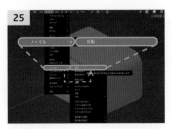

どちらかのオブジェクトの編集モードで面の向きを反転させましょう。選択して、「メッシュ」→「ノーマル」→「反転」を選択します。

これで、テレビにスピーカーの穴が開きました。

Step 4 | 再生ボタンを追加して仕上げよう

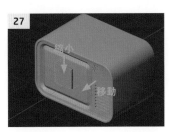

次に、再生ボタンを作りましょう。立方体を追加して（[Shift]+[A]）、[縮小]（[S]）、[移動]させます（[G]）。

編集モードに入って（[Tab]）、右側の2辺を上下方向に[縮小]します（[S]→[Z]）。

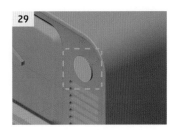

スピーカーの上のダイヤルは、オブジェクトモード（[Tab]）で円柱を追加して（[Shift]+[A]）作っていきましょう。

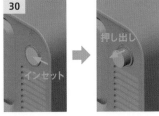

編集モードで（[Tab]）、[インセット]（[I]）、[押し出し]（[E]）を活用しながら作っていきます。最後に自動スムーズシェードを使用しましょう（右クリック）。
自動スムーズシェード→p.60

面の向き

Blenderでは「ビューポートオーバーレイ」の「面の向き」で面の向きを色分けして表示できます。面の表側は青色、裏側は赤色で表示されます。ブーリアン等がうまくいかないときは、これを確認するとよいでしょう。

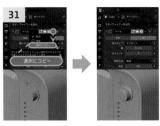

31

このダイヤルに、ベベルを追加しましょう。既にテレビ本体にベベルを追加しているため、このモディファイアをコピーしましょう。ダイヤル（コピー先）→テレビ本体（コピー元）の順番に選択し、モディファイアプロパティーのプルダウンから「選択にコピー」を選択します。

32

次に、テレビの足を作っていきます。オブジェクトモード（Tab）で円柱を追加します（Shift＋A）。Zで円柱のみを表示して編集していきます。

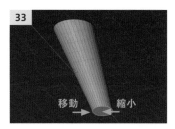

33

編集モード（Tab）で上下方向に［拡大］（S→Z）したら、底面を選択して外側に［移動］（G）、［縮小］（S）しましょう。

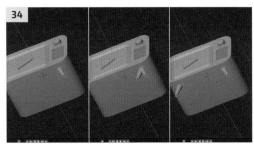

34

足を適切な位置に配置し、ミラーモディファイアを追加してミラーリングしていきます。このとき、「ミラーオブジェクト」はテレビ本体に設定しましょう。

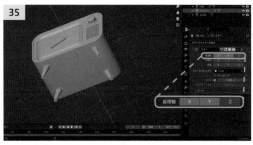

35

モディファイアープロパティの座標軸は「X」だけではなく「Y」にもチェックを入れることで、このように4本の足が生えます。
ミラーモディファイア→p.88

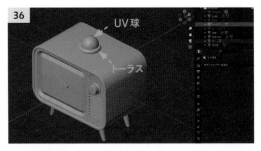

36

テレビの上部に、アンテナを立てましょう。トーラスとUV球を追加し（Shift＋A）、自動スムーズシェードを使用して配置します。

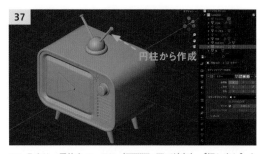

37

アンテナは、円柱をベースに（Shift＋Aで追加）、［押し出し］を活用しながら（E）作成しましょう。1本できたら、ミラーモディファイアでミラーリングしましょう。

38

これで、モデリングは完了です。マテリアル・環境設定をしたら、レンダリングをして完成です！

YouTube

動画でもRecipeを確認

https://youtu.be/wGbHAbrRC7M

トラブル解決：ブーリアンがかからない？

原因はいくつか考えられます。まずは、面の向きが逆のオブジェクトではブーリアンはかかりません。「ビューポートオーバーレイ」の「面の向き」にチェックを入れると、面の表側は青色、裏側は赤色で表示できます。面の向きが正しくないときは、編集モードのヘッダーメニュー「メッシュ」の「ノーマル」→「反転」で反転させることで解決できます。

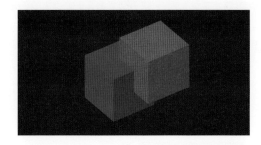

別の原因としては、ブーリアンをする方のオブジェクト内で面が重なっている場合もあります。少しでもずれていれば問題ありませんが、重なっている場合にはブーリアンがうまくかかりません。

その他には、Recipe 12のトースターのモデリングで解説する通り、ベベルモディファイアのベベルの値が形状に対して大きすぎる場合等が考えられます。

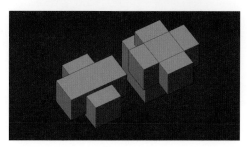

画面の文字が小さい（大きい）、もっと作業スペースが欲しい

プリファレンスの「インターフェイス」→「表示」→「解像度スケール」の数字を変えることによって、相対的にインターフェイスの文字を小さくして作業スペースを広げる、あるいは文字を大きくして見やすく作業できます。調整して、自分にあった解像度スケールを見つけてみましょう。

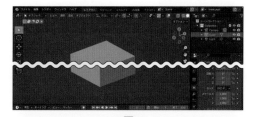

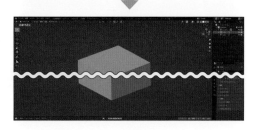

11

ビルを
つくろう

ビューポートオーバーレイを活用しながら、重なったオブジェクトの位置調整を容易にしていきましょう。複数オブジェクトを用いて一気に穴を開けたい場合には、ブーリアンを適用する側のオブジェクトを統合しておきます。1つのオブジェクトに複数のマテリアルを割り当てたい際には選択の拡大・縮小を活用し、放射シェーダーで発光体を作ってみましょう。

新出機能の確認

ビューポート
オーバーレイ

オブジェクトモードでは、辺は表示されません。ビューポートオーバーレイの「ジオメトリ」の「ワイヤーフレーム」にチェックを入れておくと、辺が見えるようになるので、モデリングの際必要に応じて設定しておきます。

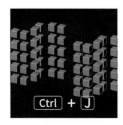

オブジェクトの統合

複数のオブジェクトを1つのオブジェクトとして統合します。今回は、まとめてブーリアンを使用する目的で統合していきます。

Ctrl + J

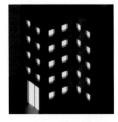

放射

マテリアルに放射シェーダーを設定すると、発光体を作ることができます。レンダープロパティの「ブルーム」にチェックを入れると、光を拡散させる後処理のエフェクトが有効になります。「半径」の数値でブルームの幅が設定できます。

選択の拡大・縮小

頂点・辺・面が選択されている状態で、選択しているメッシュと隣接する範囲へ、選択範囲を拡大または縮小します。ショートカット、またはヘッダーメニューの「選択」→「選択の拡大縮小」から行います。

Ctrl + + / −

Step 1 | ビルの外形をつくろう

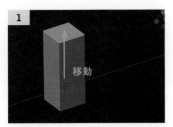

まず、ビルの外形を作っていきましょう。デフォルトで表示されている立方体を選択し、編集モードに入ったら（[Tab]）、上面を上部に［移動］させます（[G]→[Z]）。

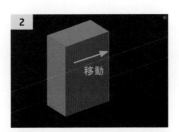

同様に、奥の面を選択し、後方に［移動］させます（[G]→[Y]）。面を分割してL字のビルの外形を作るための準備です。

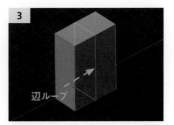

［辺ループを挿入］し、ちょうど真ん中で確定させ（[Ctrl]+[R]→[Enter]／クリック→[Esc]）、面を分割します。

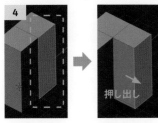

分割できたら、奥の右側の面を選択して、右側に［押し出し］ます（[E]）。これでL字のビルの外形ができました。

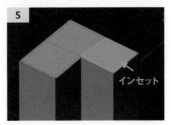

次に、インセット機能を用いて、ビル屋上のファサードを作っていきます。上面を3つ選択し、［インセット］しましょう（[I]）。

再度［インセット］します（[I]）。ポリゴンを分割してモデリングしていく際に、辺ループの挿入とインセットは有効な手段です。

インセットした面を［ループ選択］したら（[Alt]／[Option]+左クリック）、上方に［押し出し］ます（[E]）。
ループ選択→p.60

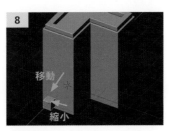

次に、窓を作っていきましょう。立方体を追加して（[Shift]+[A]）、ビルの手前に［移動］（[G]）、［縮小］します（[S]）。

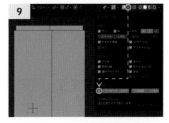

フロントビュー（テンキー[1]）にします。このとき、ビューポートオーバーレイの「ジオメトリ」の「ワイヤーフレーム」にチェックを入れておくと、輪郭が見えます。

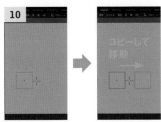

そのまま編集モードに入り（[Tab]）、［全選択］して（[A]）、右側へ［コピー］・［移動］しましょう（[Shift]+[D]→[X]）。これで窓が複製できました。

位置は様々な角度から確認しましょう。これに配列モディファイアを使用して、窓を配列していきます。
配列モディファイア→p.92

オブジェクトモードに戻り（[Tab]）、配列モディファイアを追加したら、モディファイアープロパティの「数」を5、「オフセット」の「X」の値を0、「Z」の値を2にします。

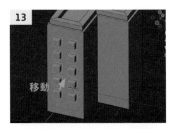

この後、この窓（立方体の群）を使用して、ビルの本体に穴を開けて行きます。ビルの本体に埋まるように、移動させましょう。

位置や大きさが確定したら、モディファイアープロパティで配列モディファイアを「適用」します。後ほどブーリアンを設定するための準備です。

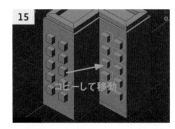

窓を［コピー］（ Shift ＋ D ）、［移動］（ G ）していきます。

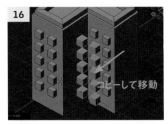

更に窓を［コピー］（ Shift ＋ D ）、［移動］します（ G ）。

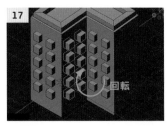

Z軸を中心に90度［回転］させます（ R → Z → 90）。

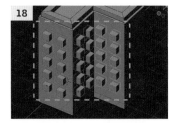

窓の3つのオブジェクトを全て選んで、一つのオブジェクトとして統合します（ Ctrl ＋ J ）。
オブジェクトの統合→p.98

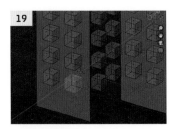

ここで、透過表示（ Alt ／ option ＋ Z ）に切り替えて編集していきます。
透過表示→p.72

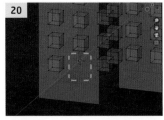

編集モードに入って（ Tab ）、手前の立方体を［削除］します（ X ）。

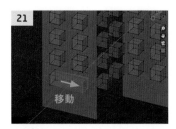

頂点選択モード（ 1 ）で、左隣にあった立方体の4つの頂点を選択し、向かって右側に移動します（ G → X ）。

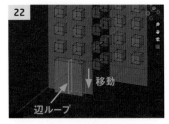

さらに、下側の4つの頂点を選択し、下方へ［移動］したら（ G → Z ）、［辺ループを挿入］し、ちょうど真ん中で確定させます（ Ctrl ＋ R → Enter ／ クリック→ Esc ）。

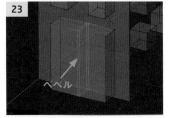

［ベベル］を適用します（ Ctrl ＋ B ）。
辺のベベル→p.60

法線に沿って面を内側に［押し出し］ます（ Alt ／ option ＋ E ）。
法線に沿って面を押し出し→p.82

Step 2 │ ブーリアンで窓をつくろう

オブジェクトモードに戻り（Tab）、いよいよブーリアンモディファイアを追加していきましょう。ビル本体の方のオブジェクトを選択し、ブーリアンモディファイアを追加します。

モディファイアープロパティの「オブジェクト」で作成した立方体群のオブジェクトを選択します。
ブーリアンモディファイア→p.92

ブーリアンモディファイアを「適用」して確定させ、立方体群のオブジェクトは［削除］します（X）。これでビルに窓の穴が開きました。

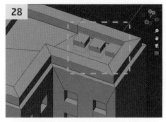

屋上の装飾として、室外機に見立てた立方体を3点追加しましょう。

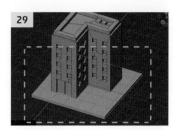

ビルの土台を作っていきます。立方体を配置し、大きさ（S）、位置（G）を調整します。

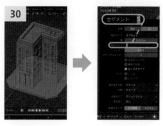

4つ角にあたる辺を選択し、［ベベル］を実行します（Ctrl + B）。3Dビューポートの左下に現れるオペレーターパネルの「セグメント」の数値は5にします。

Step 3 │ マテリアル設定をして仕上げよう

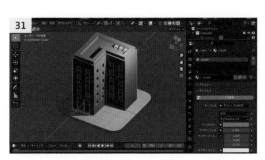

レンダープレビューモードに移行して、マテリアルを作成していきます。
マテリアルの設定→p.45

窓を全て選択しマテリアルプロパティの「サーフェス」の黄緑色ソケットをクリックして「放射」シェーダーを割り当てます。

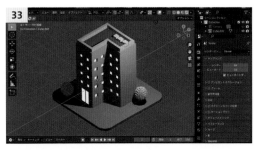
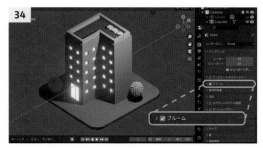

33 レンダープロパティを開き、ブルームにチェックを入れます。
放射→p.98

34 このように窓が光っているような放射エフェクトがプレビューで表示されます。

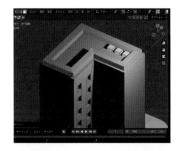

選択の拡大・縮小

屋上のファサードの色分けは、一見難しそうですが、「選択の拡大・縮小」というコマンドを使って楽に行うことができます。
まず、上面をループ選択（ Alt / Option ＋左クリック）します。そこから、ヘッダーメニューの「選択」内ヘッダーメニューにある「選択の拡大縮小」→「拡大」を適用すると、このように選択できます。

35 マテリアルプロパティの「カラー」をクリックしてカラーピッカーでピンク色を設定します。放射の「強さ」は3にしておきます。

36 最後に、土台の下に平面を追加し、ライティング・環境設定をしたら、レンダリングをして完成です！

YouTube

動画でもRecipeを確認

https://youtu.be/a3o4_ppvpso

トラブル解決：ミラー反転されない？

ミラーは「ミラーオブジェクト」を設定しなければ「原点を'軸'に、座標軸の'方向に'」反転コピーします。座標軸から離れた場所にいるのに、ミラー反転されない場合は、「どこを対称軸にして反転させたいのか？」を「ミラーオブジェクト」を設定することによって指定するか、原点そのものを、対称軸としたい場所に置いておくのどちらかの手法を取ります。

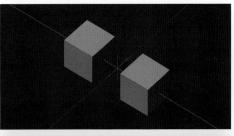

対称軸となるエンプティを作成する

XYZ=0の地点に中点を持つ「ミラーオブジェクト」をモディファイアープロパティで指定します。ない場合にはエンプティを配置します。その後、ミラーオブジェクトとしてエンプティを設定しましょう。エンプティについて詳しくはLesson 14を参照しましょう。

点を移動させる

オブジェクトを追加した後、編集モードで移動させることにより、原点をXYZ=0の位置にあえて残します。または、ヘッダーメニューの「オブジェクト」→「原点を設定」→「原点を3Dカーソルへ移動」とすれば、原点が3Dカーソルの位置へ移動します。3Dカーソルは、デフォルトではXYZ=0の位置にありますが、そうでない場合は Shift + C のショートカットでXYZ=0の位置へ移動させましょう。

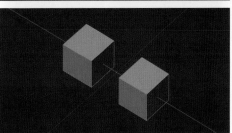

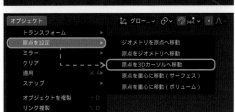

トースター
をつくろう

サンプルダウンロード | Part 1 ＞ 📁 Recipe 12

一つのオブジェクトをベースにスライス・分割したり、穴を開けたりしてモデリング
をする際、Bool Toolを用いるとより効率的に、シンプルに進めていくことができ
ます。また、プロダクトデザインを行う際に、一つの塊を分割して2つのパーツに
分けるとパーティングライン（分割線）が生まれます。パーティングラインを面取り
すると、精度感の表現ができ、リアリティが増します。色分けするだけでなく、立
体をスライスと呼ばれる手法で分割していき、このような表現に挑戦してみましょう。

新出機能の確認

Bool Tool

ブーリアンモディファイアを更
に便利に使うためのBlender
標準アドオンです。アドオン
（p.76）で「Bool Tool」を検索
してチェックを入れると、3D
ビューポートのサイドバーの

「編集」からBool Toolが操作で
きます。
Bool Toolには「Auto Boolean」
と「Brush Boolean」の2種類
あります。

Auto Boolean

「Auto Boolean」はモディファ
イアの確定までを自動的に行い
ます。スライスを使用すると、
2つのオブジェクトの境界線を
境に、ブーリアンされる側のオ
ブジェクトが分割されます。

Brush Boolean

「Brush Boolean」は、ブーリ
アンに使用されるオブジェクト
がバウンディングボックスの表
示になり、移動や拡大・縮小を
することが可能です。使用時に
モディファイアは確定されず、
ハンドルを用いてオブジェクト
を移動させることができます。
「Apply Brush」をクリックす
るとモディファイアが確定され、
「Remove All」をクリックする
とブーリアンが削除されます。

Step 1 ｜ トースターのシルエットをつくろう

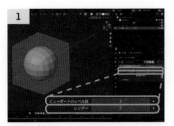

まず、トースターの基本的なシルエットを作っていきましょう。立方体にサブディビジョンサーフェスモディファイアを追加し、モデリングしていきましょう。「ビューポートのレベル数」と「レンダー」の数をそれぞれ2にしておきます。

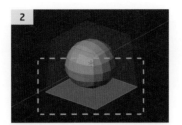

編集モード（Tab）で、底面を選択し、底面を［拡大］します（S）。モディファイアを適用していないので、このように面が選択できます。

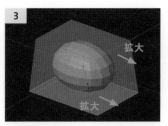

さらに［全選択］し（A）、X軸方向に［拡大］しましょう（S → X）。

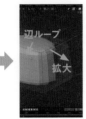

ここから、辺ループを挿入しながら大まかなモデリングを行い、シルエットを決めていきます。［辺ループを挿入］し下方にスライドさせた後（Ctrl + R）、少し［拡大］します（S）。

更に側面の真ん中に［辺ループを挿入］し、さらにメッシュを分割していきます（Ctrl + R → Enter ／ クリック→ Esc）。

シルエットの確認

サブディビジョンサーフェスが追加された状態で、最終的なシルエットを確認しながらモデリングをしていくと、直感的にコントロールできます。

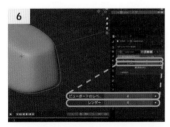

オブジェクトモードに戻ります（Tab）。先ほどのサブディビジョンサーフェスモディファイアの「ビューポートのレベル数」と「レンダー」の数をそれぞれ4にし、自動スムーズシェードを使用します（右クリック）。

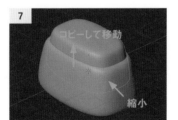

Bool Toolで立体を「スライス」してみましょう。作成した立体を［コピー］して（Shift + D）、［縮小］し（D）、元の立体と重ねます。
BoolTool→p.104

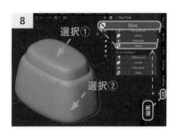

Shift を押しながら、子オブジェクト（コピー）→親オブジェクト（コピー元）の順に選択し、BoolToolの「Auto Boolean」→［Slice］をクリックします。

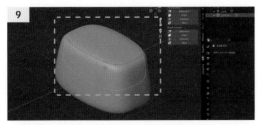

オブジェクトがスライスされました。スライスとは、オブジェクトの一部を切り取り複数に分割することを指します。
Auto Boolean→p.104

境界線にムラが見えるため、オブジェクトをそれぞれ選択して、自動スムーズシェードを使用します（右クリック）。
自動スムーズシェード→p.60

別のスライス方法

スライスは、ブーリアンモディファイアの「差分」と「交差」の機能を使って、実現することも可能です。
大きい方の立体（立体Aとします）を選択し、ブーリアンモディファイアを選択し、モディファイアパネルの「オブジェクト」を小さい方の立体（立体Bとします）に指定します。立体Bを非表示にすると、このようにくり抜かれている状態になっています。
そこで立体Aを複製し（立体Cとします）、プロパティパネルの「差分」を「交差」に変更します。
すると、9で実現したような、外側と内側のパーツが分かれた表現が完成します。ここまでの手間を考えると、アドオンを用いて作成した方が良いですね。

Step 2 | ブーリアンで穴を開けよう

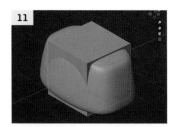

トースターにパンを入れる穴を開けていきます。立方体を追加しましょう（ Shift + A ）。

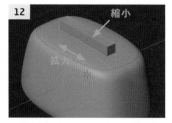

全体を［縮小］し（ S ）、左右方向に［拡大］します（ S ）。

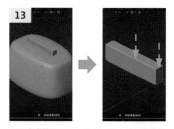

この直方体にベベルモディファイアを追加します。 / でローカル表示し、直方体のオブジェクトを見ると、ベベルが均等に反映されていません。

これは、オブジェクトにスケールのトランスフォーム情報を持っているためです。リセットするために Ctrl + A を押して「スケール」を選択し、オブジェクトのトランスフォームを適用しましょう。

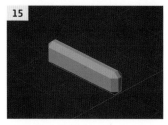

ベベルがうまく反映され、均一にかかりました。
トランスフォームを適用→p.92

モディファイアープロパティの「セグメント」の値を5にして、自動スムーズシェードを使用します（右クリック）。
自動スムーズシェード→p.60

このタイミングで、側面に取り付けるスイッチの穴の準備もしておきましょう。［コピー］（Shift + D）して編集モードに入ります（Tab）。
コピー→p.64

縦に長い直方体にして、本体と重ねておきます。編集モードで実施することで、オブジェクトのトランスフォームを適用する手間が省けます。

パンを入れる穴を開けていきましょう。オブジェクトモードで上部の直方体を選択してから編集モードに入り（Tab）、前方に移動します（G→Y）。編集モードで移動することにより、原点をX=0の位置に残し、後ほどミラー反転しやすいよう工夫しています。

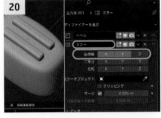

オブジェクトモードに戻り（Tab）、ミラーモディファイアを追加します。モディファイアープロパティで「座標軸」を「Y」に変更しましょう。現在のピボットポイントである原点を軸に、Y軸方向にミラー反転します。

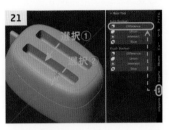

Shift を押しながら、ブーリアンする方（パンを入れる穴の直方体）→される方（トースターの内側の直方体）の順に選択し、Bool Toolの［Difference］をクリックします。

Tips

ブーリアンが
うまくいかない場合

この時、ブーリアンがうまく反映されない方は、何らかの理由で、同一のオブジェクト内で面が重なっていたり、複製したメッシュが重複していたりする可能性があります（p.97）。

側面にも同様にブーリアンを適用していきます。先ほどコピーした直方体のベベルの「量」を調整しておきましょう。ベベルの量が立体に対して大きすぎると、ブーリアンがうまく反映されないためです。

現在は、直方体に薄く縦に線が入っていますが、ベベルの量を0.1から0.06に変更すると、この縦線が消えるのがわかります。これで準備完了です。

ブーリアンを追加する前に、穴を開けるためのパーツを一つコピーしておきます。穴の装飾を作成する目的で、後ほど使用します。

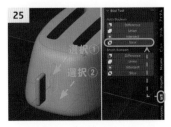

Shift を押しながらブーリアンをする方→される方の順に選択し、Bool Toolの［Slice］をクリックします。

先ほどコピーしておいた直方体を［移動］します（G）。

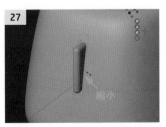

編集モードで大きさを一回り小さく調整します（S）。

そのまま、上下方向に［拡大］しましょう
（S→Z）。

オブジェクトモードに戻り、必要に応じて
一回り小さい方のベベルの「量」を更に下
げておきます。ここでは 0.045 にしました。

Shift を押しながらブーリアンをする方→
される方の順に選択し、［Difference］をク
リックします。これで、穴が開きました。

Step 3 ｜ 小物を追加しよう

フロントビューで、側面のパーツを少し外
側に移動しましょう（G→X）。後ほどこ
のパーツにメタリックのマテリアルを割り
当てる予定です。縁が光を広い、光ると精
度感が感じられる仕上がりになります。

残りのパーツを作っていきましょう。UV
球を追加し（Shift+A）、［移動］（G）、［縮
小］（S）して、自動スムーズシェードを使
用します（右クリック）。

編集モードに入り（Tab）、上面を［ボック
ス選択］します（B）。

そのまま上方へ［押し出し］ます（E）。

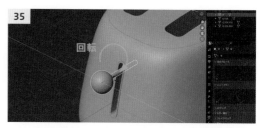

オブジェクトモードに戻り（Tab）、Y軸を中心に90度［回転］させま
しょう（R→Y→90）。

次に、ダイアルを作っていきます。円柱を追加し（Shift+A）、［移
動］（G）、［縮小］（S）します。

そのままY軸を中心に90度［回転］させましょう（R→Y→90）。
回転→p.60

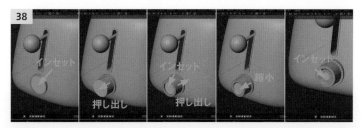

編集モードに入り（[Tab]）、［インセット］（[I]）と［押し出し］（[E]）をしながらモデリングしていきます。
インセット→p.56、押し出し→p.56

形状ができたら、ベベル、サブディビジョンサーフェスの順にモディファイアを追加しましょう。ベベルの「量」は0.03、「ビューポートのレベル数」と「レンダー」の数をそれぞれ3に設定しました。

Step 4 │ 調整をして仕上げよう

次に、ロゴを入れましょう。オブジェクトモード（[Tab]）でテキストを挿入し（[Shift]+[A]）、ローカル表示します（[/]）。編集モード（[Tab]）で「Text」の文字を[Back space]で消したら「blender」と入力します。

オシャレな雰囲気を出すために、文字間を調整してみましょう。文字と文字の間に2つずつスペースを入れます。
テキスト→p.68

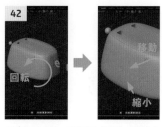

オブジェクトモードに戻り（[Tab]）、X軸を中心に90度［回転］させましょう（[R]→[X]→90）。［移動］（[G]）、［縮小］（[S]）します。

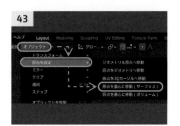

このロゴの中心を見て位置合わせをしましょう。ヘッダーメニューの「オブジェクト」の「原点を設定」→「原点を重心に移動（サーフェス）」を選択します。

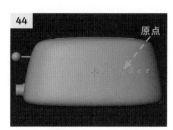

すると、原点がテキストの中心に移動しました。この原点がフロントビューから見たX=0の点に移動すれば良いですね。

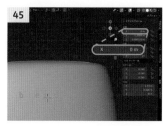

[N]を押して、トランスフォームメニューを開き、「位置」のXの値を0にします。すると、テキストの原点がX=0の位置、つまり青色のZ軸と重なったことが分かります。

そのまま［縮小］させ（[S]）、大きさを調整しましょう。

オブジェクトデータプロパティの「ジオメトリ」内、「押し出し」の値を0.5にして、厚みを付けます。

そのまま後方へ［移動］させます（[G]→[Y]）。

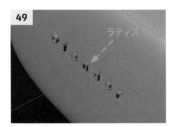

49

このままでも良いのですが、ラティスモディファイアを用いてトースターの表面のカーブに文字が沿うように調整しましょう。ラティスを追加して（Shift + A）、文字の大きさに合わせます。

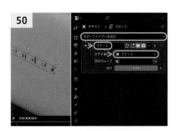
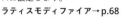

50

テキストを選択してラティスモディファイアを追加し、モディファイアープロパティの「オブジェクト」を先ほど追加したラティスに設定します。
ラティスモディファイア→p.68

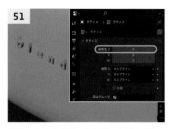

51

ラティスのオブジェクトデータプロパティを開いて「解像度U」の値を2から4に変更します。

52

すると、ラティスに縦の分割線が2本入ります。制御点を増やし、動かすことで、ラティスモディファイアを追加しているテキストが変形します。

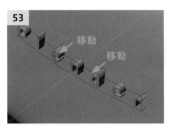

53

編集モードに入り（Tab）、ラティスの真ん中の頂点群を選択したら、前方に［移動］させましょう（G→Y）。トップビューから見た際に、テキストがトースターと同じようなカーブを描くことができます。

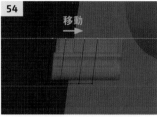

54

同様に、ライトビューで傾きも調整しておきます。透過表示（Alt / Option + Z）にして上部の頂点群を［ボックス選択］し（B）、後方に移動します（G→Y）。
透過表示→p.72

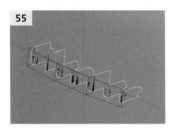

55

オブジェクトモードに戻ったら（Tab）、テキストを後方に移動させて、位置の微調整を必要に応じて行います。

56

最後に、トースター本体を2色に分けておきます。ブーリアンを追加して2色に分けるためのオブジェクトを作成します。立方体を追加して（Shift + A）、大きさ（S）と位置（G）を調整しましょう。

57

追加した直方体、トースターの順に選択して、Bool Toolの［Slice］をクリックします。すると本体が2パーツに分かれます。

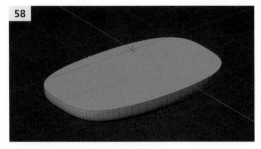

58

スライスされたオブジェクトだけを表示しましょう（/）。
選択オブジェクトの表示→p.80

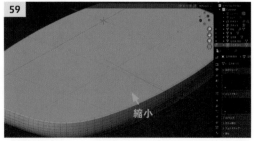

59

編集モードに入り（Tab）、上面を少しだけ［縮小］しましょう（S）。

オブジェクトモードに戻って（ Tab ）見てみると、上下の2つのオブジェクトの間に光の筋が入って、精度感が表現できているのが分かります。

これで、モデリングは完了です。マテリアル・環境設定をしたら、レンダリングをして完成です！

プロダクトの絵作りのコツ

Tips

電化製品などのプロダクトをレンダリングをする際には、複数のカラーを設定して並べるだけで、カラーバリエーションが豊富な製品である印象を与えることができ、より楽しい絵作りを実現できます。また、レンダリングの際には、Lesson 08で学んだような被写界深度の設定をすると、よりメリハリのある絵になるでしょう。

YouTube

動画でもRecipeを確認

https://youtu.be/eyJOPtbMGZg

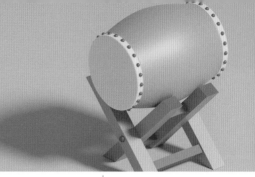

太鼓を
つくろう

/ Part 1

サンプルダウンロード | Part 1 > 📁 Recipe 13

ポリゴンモデリングに試行錯誤は付き物です。細分化や辺ループの挿入で面を分割していける一方で、不要なジオメトリ（頂点・辺・面）は溶解して取り除くことができます。ピボットポイントのパイメニューを用いて制御の中心を設定し、円形にオブジェクトを複製して留め具を並べ、重なってしまった要素をリンク選択しながら配置して足をモデリングしていきましょう。

新出機能の確認

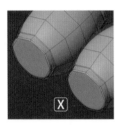

溶解

モデリングの際に、頂点・辺・面を分割したり、不要になって消したりしたりという試行錯誤は不可欠です。溶解は削除のオプションの一つで、ジオメトリ（頂点・辺・面）を削除しつつ、周囲に影響を与えずに「なかったこと」にできる便利な機能です。

ピボットポイントの
パイメニュー

オブジェクトやメッシュを変形する際に、制御の中心になるのが「ピボットポイント」です。3Dビューポートのヘッダーにあるセレクター、または3Dビューポート上で . を押してパイメニューを呼び出し、ピボットポイントの位置を変更できます。パイメニューとは、3Dビュー上に円形のメニューを表示させて操作性を向上させるものです。

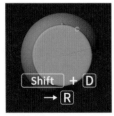

回転を伴うコピー

オブジェクトを円形にコピーしていく場合、ピボットポイントを3Dカーソルにしておき、「コピー」→「回転」の順に操作し、直前の操作を Shift + R キーで繰り返します。

リンク選択

編集モードで、選択したいメッシュにカーソルを合わせて L を押すと独立・分断されたメッシュを選択できます。また、選択した要素に接続されているジオメトリを Ctrl + L で選択することができます。

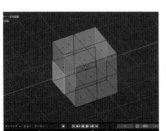 ➡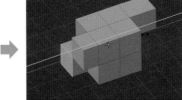

外側に押し出し

2箇所の頂点・辺・面を同時に外側に向かって押し出したい場合、E で押し出しのモードにした後に、S を押してスケールを有効にすると外側に押し出すことができます。

Step 1 | 太鼓の外形をつくろう

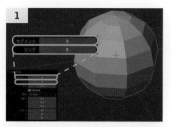

立方体を［削除］し（X）、UV球を追加して（Shift＋A）、左下に現れるオペレーターパネルの「セグメント」「リング」の数値を共に8にします。

編集モードに入り（Tab）、透過表示にします（Alt／option＋Z）。
透過表示→p.72

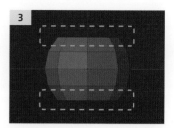

上下の頂点を2段分ずつ［削除］します（X）。透過表示は解除しましょう（Alt／option＋Z）。

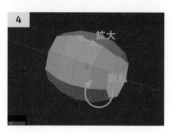

［全選択］し（A）、上下方向に［拡大］してから（S→Z）、X軸を中心に90度［回転］させます（R→X→90）。

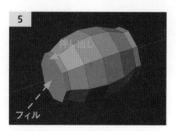

両端の辺ループを選択し（Shift＋Alt／Option＋左クリック）、［外側へ押し出し］ます（E→S→Y）。そのまま［フィル］で面を閉じましょう（F）。
透過表示→p.72

オブジェクトモードに戻り（Tab）、サブディビジョンサーフェスモディファイアを追加し、「ビューポートのレベル数」と「レンダー」の数をそれぞれ3にしておき、自動スムーズシェードを使用します（右クリック）。

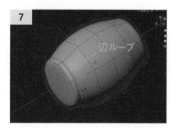

編集モードに入って（Tab）、［辺ループを挿入］しながら（Ctrl＋R）、あるいは辺をクリースして（Shift＋E）、角の丸さを調整していきます。一度辺ループを確定してしまった後も、辺をスライド（G→G）させて、調整しましょう。

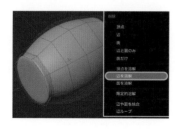

溶解

辺ループが不要になった場合は辺を溶解しましょう（X）。メッシュのジオメトリ（頂点・辺・面）を削除しつつも、穴を開けずに、周辺のジオメトリで埋めることができます。

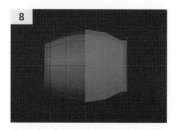

角の丸さも含めて左右対称に作っていきたい場合、ライトビューで透過表示（Alt＋Z）にします。

［ボックス選択］（B）で右半分を選択し、片側を半分［削除］（X）します。その後透過表示は解除します（Alt／option＋Z）。

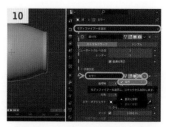

ミラーモディファイアを追加してY軸対称でミラーリングしたら、適用しておきます。
ミラーモディファイア→p.88

次に、太鼓の留め具を作っていきましょう。UV球を追加し（Shift+A）、[縮小]して（S）、太鼓の縁に配置して（G）、自動スムーズシェードを使用します（右クリック）。
自動スムーズシェード→p.60

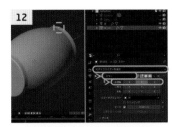

この留め具を、太鼓の反対側の縁にもミラーリングしておきましょう。ミラーモディファイアを追加しましょう。モディファイアープロパティの「座標軸」は「Y」に、「ミラーオブジェクト」は太鼓のオブジェクトを選択します。

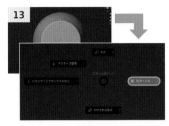

フロントビューにして、ピボットポイントのパイメニュー（.）で、ピボットポイントを「3Dカーソル」にしておきましょう。この状態で拡大縮小すると、3Dカーソル（厳密にはXYZ座標=0の点に3Dカーソルを置いている場合）を軸に拡大縮小することができます。

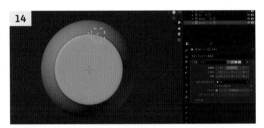

コピーしながらY軸を中心に15度[回転]します（Shift+D→R→15）。
回転を伴うコピー→p.112

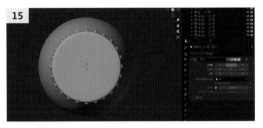

これを22回繰り返します（直前の操作を繰り返すコマンドであるShift+Rを22回押す）。

Step 2 | 土台をつくろう

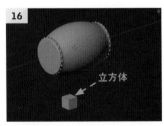

足を作りましょう。立方体を追加し（Shift+A）、[縮小]（S）[移動]（G）させて、編集モードに入ります（Tab）。このとき、ピボットポイントのパイメニュー（.）で、ピボットポイントを「中点」に戻しておきましょう。

立方体の上面を、このように[移動]させます（G）。フロントビューで作業するとバランスをとりやすいでしょう。

そのまま上面を[回転]させ（R）、必要に応じて[拡大・縮小]しながら（S）、足の太さが一定になるように調整しましょう。

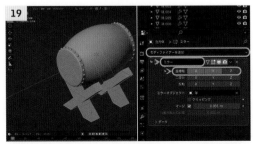

オブジェクトモードに戻り（Tab）、ミラーモディファイアを追加します。モディファイアープロパティの「座標軸」は「X」「Y」に、「ミラーオブジェクト」は太鼓のオブジェクトを選択します。

ミラーモディファイアを適用します。
適用→p.39

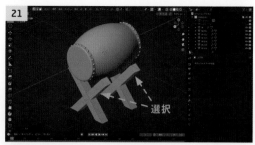

編集モードに入り（[Tab]）、2本の足を選択しましょう。選択したい独立したメッシュの上にカーソルを置き、[L]を押すと選択できます。
リンク選択→p.112

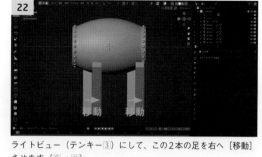

ライトビュー（テンキー[3]）にして、この2本の足を右へ［移動］させます（[G]→[Y]）。

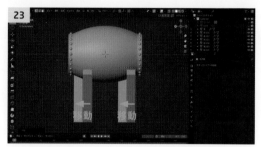

次に、足全てを選択して（[L]）、少し左に［移動］させましょう（[G]→[Y]）。

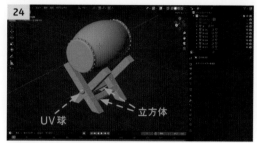

最後に、UV球と立方体を追加し（[Shift]+[A]）、太鼓の足の留め具と、支柱を作りましょう。

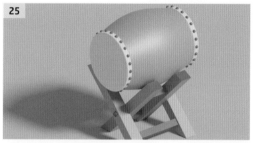

これで、モデリングは完了です。マテリアル・環境設定をしたら、レンダリングをして完成です！

YouTube

動画でもRecipeを確認

https://youtu.be/UO0kF_w_j1o

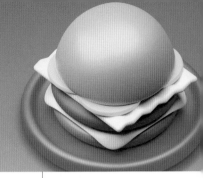

ハンバーガーを
つくろう

四角形が中心のポリゴンモデリングですが、扇状に分離することで表現の幅が
広がります。モディファイアの順番を意識しながらベベルモディファイアを新た
に使ってみましょう。複数の辺に一気にベベルが適用できます。

新出機能の確認

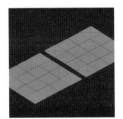

扇状に分離

選択した各面を三角形からなる
扇形に分割し、三角形のメッ
シュを作成します。

ベベルモディファイア

ベベルツールのように、辺・点
の角を削る機能です。モディ
ファイアープロパティの「幅」
の数値でベベルのサイズを決め、
「セグメント」でエッジループの
数（分割数）を設定します。

Step 1 | ハンバーガーの材料をつくろう

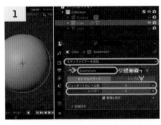

立方体にサブディビジョンサーフェスモ
ディファイアを追加して、「ビューポート
のレベル数」と「レンダー」の数をそれぞ
れ4にします。

続けて自動スムーズシェードを使用します
（右クリック）。これをハンバーガーのバン
ズにします。
自動スムーズシェード→p.60

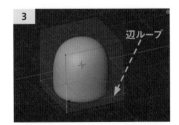

編集モードに入り（[Tab]）、[辺ループを挿
入]して下方に下げておきます（[Ctrl]＋[R]）。
辺ループを挿入→p.56

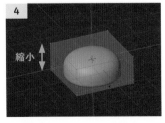

頂点選択モード（[1]）で全ての頂点を選択
したら（[A]）、上下方向に［縮小］して
（[S]→[Z]）、厚みを調整しましょう。

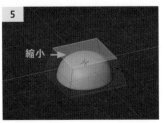

面の選択モード（[3]）で上面を選択したら、
［縮小］します（[S]）。これで、バンズの形
状が完成しました。

オブジェクトモードに戻り（[Tab]）、オブ
ジェクトを［コピー］して（[Shift]＋[D]）、Y
軸を中心に180度［回転］させ（[R]→[Y]→
180）、下のバンズにします。

7

下のバンズは上のバンズよりも薄くしておきましょう。上下方向に［縮小］しておきます（［S］→［Z］）。

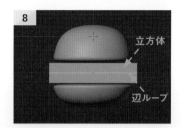

8

立方体
辺ループ

バンズの間に挟むパティも作成しましょう。立方体を追加し（［Shift］＋［A］）、上下方向に［縮小］（［S］→［Z］）、［移動］し（［G］）、編集モード（［Tab］）で［辺ループを挿入］して水平方向ちょうど真ん中で確定させます（［Ctrl］＋［R］→［Enter］／クリック→［Esc］）。

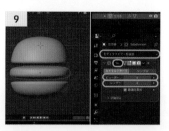

9

オブジェクトモード（［Tab］）でサブディビジョンサーフェスモディファイアを追加し、「ビューポートのレベル数」と「レンダー」の数をそれぞれ4にしておき、自動スムーズシェードを使用します（右クリック）。

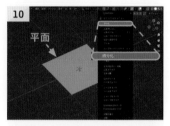

10

平面

1枚目のチーズを作成します。平面を追加し（［Shift］＋［A］）、平面だけを表示させます（［/］）。編集モードに入り（［Tab］）、［細分化］を2回適用します（右クリック）。

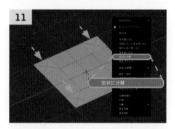

11

角の4つの面を選択したら「扇状に分離」を適用しましょう（右クリック）。
扇状に分離→p.116

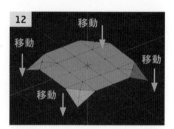

12

移動
移動
移動
移動

1番外側の4頂点を選択して下方へ［移動］させます（［G］→［Z］）。チーズが溶けている様子を表現しています。

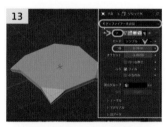

13

ソリッド化モディファイアを追加します。モディファイアープロパティの「幅」の値は0.09mを目安にしましょう。
ソリッド化モディファイア→p.72

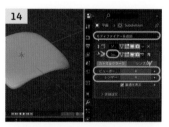

14

その後サブディビジョンサーフェスモディファイアを追加し、「ビューポートのレベル数」と「レンダー」の数をそれぞれ4にしておき、自動スムーズシェードを使用します（右クリック）。

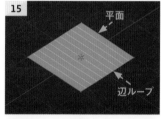

15

平面
辺ループ

2枚目のチーズも同様に作成します。平面を追加し（［shift］＋［A］）、ローカル表示（［/］）します。編集モードに入り（［Tab］）、9つの［辺ループを挿入］します（［Ctrl］＋［R］→9→［Enter］／クリック→［Esc］）。

Tips

モディファイアの順番

複数のモディファイアを1つのオブジェクトに適用する際には、その順番を意識しましょう。順番は、右端にあるハンドルをドラッグして入れ替えられますので間違った順番に追加してしまったときには修正しましょう。

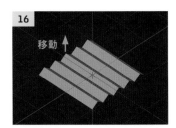

16

辺の選択モード（[2]）で、[Shift]を押しなが
ら一つ飛びに辺を選択し、上方へ持ち上
げて（[G]→[Z]）、ギザギザの面を作成しま
す。

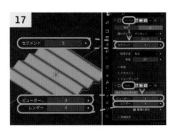

17

オブジェクトモードに戻り（[Tab]）、ソリッ
ド化モディファイア（幅の値を0.1に）、ベベ
ルモディファイア（セグメントの値を5に）、
サブディビジョンサーフェスモディファイ
ア（ビューポートのレベル数とレンダーの数
をそれぞれ4）の順に追加します。自動ス
ムーズシェードを使用します（右クリック）。

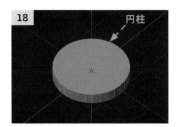

18

最後に、レタスを作成します。円柱を配置
し（[Shift]+[A]）、編集モードに入り（[Tab]）、
上下方向に［縮小］します（[S]→[Z]）。

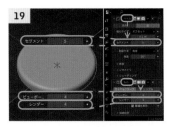

19

オブジェクトモードに戻り（[Tab]）、ベベル
モディファイア（セグメントの値を5に）、
サブディビジョンサーフェスモディファイ
ア（ビューポートのレベル数とレンダーの
数をそれぞれ4）の順に追加し、自動ス
ムーズシェードを使用します（右クリック）。

20

全体を再度表示させたら（[/]）、レタスを
選択し、編集モードに入ってから（[Tab]）、
［全選択］（[A]）し、［縮小］（[S]）、［移動］
（[G]）させます。

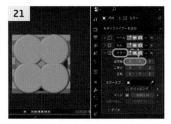

21

オブジェクトモードに戻り（[Tab]）、ミラー
モディファイアを追加します。「座標軸」の
XとYにチェックを入れると、このように
X軸・Y軸方向にミラー反転されます（うま
くいかないときは下記Tips）。

ミラーモディファイアがうまくいかない!?

ミラーは「ミラーオブジェクト」を設定していない場合は「原点を'軸'に」、座標軸
の'方向に'」反転コピーします。今回は、X軸とY軸を挟んで向こう側に反転コピー
したいため、円柱を編集モードで移動させて、原点をXYZ=0の位置にあえて残して
います。
もしオブジェクトモードで移動してしまって、原点がオブジェクトの中心にある場
合はうまくいかないため、XY=0の地点に中点を持つ「ミラーオブジェクト」（バン
ズなど）をモディファイアープロパティで指定します。

22

フロントビュー（テンキー[1]）で、レタス
を下方に［移動］しましょう（[G]→[Z]）。

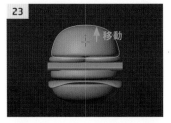

23

必要に応じて、バンズや他の具材の位置を
調整します。次に、チーズの大きさを調整
します。

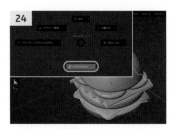

24

2種のチーズを選択し、ピボットポイント
のピボットポイントのパイメニュー（[.]）
で、ピボットポイントを「それぞれの原点」
にして縮小します（[S]）。

Step 2 | お皿を準備して仕上げよう

最後にお皿を作っていきましょう。円柱を
配置し（[Shift]＋[A]）、編集モードに入ります
（[Tab]）。

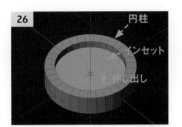

上下方向に［縮小］し（[S]→[Z]）、［インセッ
ト］して（[I]）、下方へ［押し出し］ましょう
（[E]）。

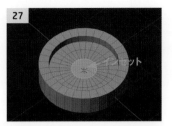

サブディビジョンサーフェスを適用した際
に面にシワがよらないよう、［インセット］
して（[I]）、面を分割しておきます。

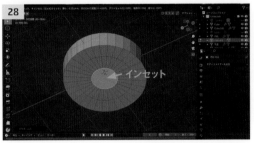

底面も同様に［インセット］（[I]）で面を分割しておきます。
トポロジー→p.87

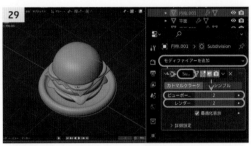

オブジェクトモードに戻り（[Tab]）、サブディビジョンサーフェスモ
ディファイアを追加し「ビューポートのレベル数」と「レンダー」
の数をそれぞれ4にしたら、自動スムーズシェードを使用します
（右クリック）。

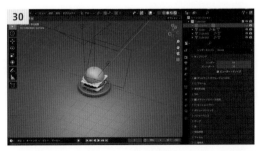

これで、モデリングは完了です。全体を表示させ（[/]）、お皿を拡
大・縮小させながら全体のバランスを調整します。

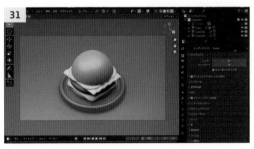

マテリアル・環境設定をしたら、レンダリングをして完成です！

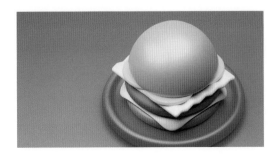

YouTube

動画でもRecipeを確認

https://youtu.be/wb49gDyCeVw

ティーポットを
つくろう

この作品では、スクリューモディファイアやスピンツールを用いて断面の形状を 360度回転させ、回転体を作成する方法を学びます。回転体を作るときのコツ は、頂点数の少ないシンプルな断面でアウトラインを作っておき、サブディビジョン サーフェスモディファイアを追加してシルエットを確認しながら、再度頂点を編集す ることです。ティーポットの取っ手はカーブで作成していきましょう。

新出機能の確認

スクリュー
モディファイア

オブジェクトやメッシュ・カー ブを用いて、回転体・螺旋状の 形状を作るモディファイアです。 ツールバーのスピンツールと同 様の働きをします。

スピンツール

選択物を回転・押し出しできま す。編集モードで左側の中段に あるスピンツールを選択し、 ツールバーを押して現れる青い 丸を円に沿って引っ張ります。

カーブ

カーブは、長さや曲率をコント ロールポイント（制御点）やハン ドルで制御できる曲線です。オ ブジェクトデータプロパティの 「ジオメトリ」の「ベベル」→「深 度」で厚みを持たせることができ ます。

カーブの厚みは、個々のコント ロールポイントを選択し、 Alt + S で調整することもでき ます。

Step 1 | 回転体をつくろう

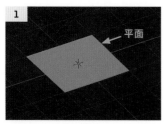

今回はポットの断面形状を作るところから 始めます。立方体を［削除］し（X）、平面 を追加します（Shift + A ）。

X軸を中心に90度［回転］します（R → X → 90）。
回転→p.60

フロントビュー（テンキー 1 ）にして、編 集モードに入り（Tab ）、［辺ループを挿入］ し、ちょうど真ん中で確定させます（Ctrl + R → Enter / クリック→ Esc ）。

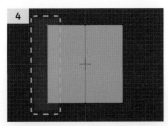

この後に回転体を作る上で、Y軸を中心とした反対側の面を削除していきます。[ボックス選択]（B）で2つの頂点を選択します。

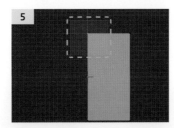

選択した2つの頂点を[削除]（X）します。同じように[ボックス選択]（B）で頂点を選択します。

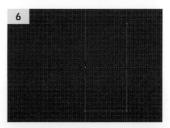

選択した頂点を[削除]（X）します。すると、面を構成していた頂点と辺が削除されるため、面が消えます。3つの頂点と2つの辺が残っている状態です。これを編集して、回転体の断面を作っていきます。

1番上の頂点を選択して、このように右方向に動かしてみましょう（G→X）。

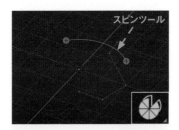

さらに下方向に[移動]します（G→Z）。このとき、Ctrlを押しながら動かすとグリットの上にスナップします。

1番上の頂点を選択したまま、[押し出し]をして（E）、頂点を2つ増やします。このようなギザギザの断面にしてみましょう。

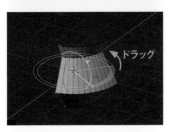

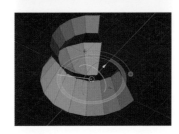

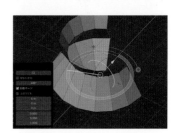

Tips

スピンツールを使った回転体

今回はスクリューモディファイアを使用しますが、回転体は、スピンツールを使って作ることもできます。マウスの中ボタンで視点を回転させ、編集モードの状態で左側の中段にあるスピンツールを選択し、ツールバーを押して現れる青い丸を円に沿って引っ張ることで回転体が作成できます。

このように断面ができたら、スクリューモディファイアを追加して、この断面をもとに回転体を作っていきます。

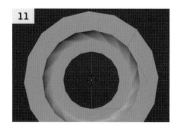

回転体は、デフォルトではこのように座標軸がZ軸になっています。モディファイアのメニューの中で、座標軸をYに変更しましょう。

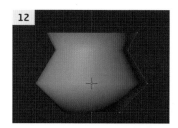

するとこのようにポット状の形状になります。
スクリューモディファイア→p.120

Step 2 ポットの外形をつくろう

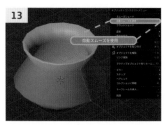

回転体ができたら、次に厚みをつけていきます。ソリッド化モディファイアを追加して、モディファイアープロパティの「幅」の値を-0.1にして厚みをつけて、自動スムーズシェードを使用します(右クリック)。

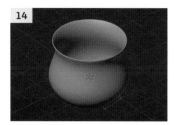

次に、サブディビジョンサーフェスモディファイアを追加し、「ビューポートのレベル数」と「レンダー」の数をそれぞれ3にしておきます。これでベースとなるポットの形ができました。

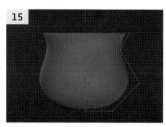

必要に応じて、断面を形成している頂点を[移動]させながら([G])、ポットの形状を調整していきます。透過表示にして([Alt]／[Option]+[Z])調整すると良いでしょう。

次に、メッシュの円を使用して、ティーポットのフタを作りましょう。円を配置します([Shift]+[A])。ポット底面付近でオレンジ色に光っています。

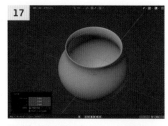

[移動]([G])、[拡大]([S])し、位置と大きさを合わせます。このように、ポット上部の穴の位置に、穴より一回り小さい大きさで配置します。

円を選択した状態で編集モードに入り([Tab])、上方向に[押し出し]て([E])、厚みをつけます。

再度[押し出し]ます([E])。
押し出し→p.56

そのまま[縮小]([S])して、蓋の上面を作っていきます。

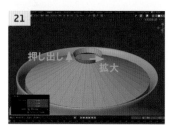

再度[押し出し]([E])、[拡大]([S])しながら、蓋の取っ手の部分を作っていきましょう。

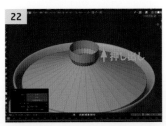

上方向に［押し出し］ます（E）。

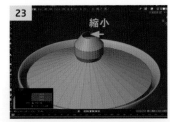

このように［縮小］しましょう（S）。

最後に［フィル］（F）で上面を閉じておきます。

Step 3 | 取っ手を付けて仕上げよう

蓋の立体が完成したら、オブジェクトモード（Tab）に戻り、自動スムーズシェードを使用します（右クリック）。
自動スムーズシェード→p.60

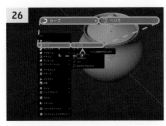

次に、ポットの取っ手を作っていきましょう。カーブを追加（Shift＋A）します。このカーブのプロパティで厚みをつけながら取っ手を作っていきます。

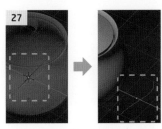

カーブを追加した際、ポットの中に隠れてしまうため、見える位置まで動かしましょう（G）。

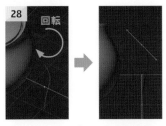

Y軸を中心にカーブを90度［回転］させ（R→Y→90）、編集モードに入って（Tab）、ライトビュー（テンキー3）で調整していきます。

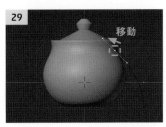

まず、上のコントロールポイント（制御点）を選択し、動かしてみましょう（G）。

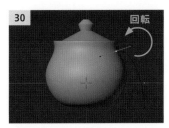

そのまま、［回転］させます（R）。
カーブ→p.23、120

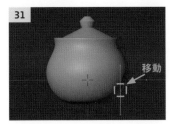

次に、下のコントロールポイントも同様に動かして（G）から、回転（R）させてみましょう。

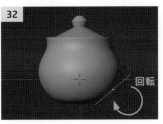

コントロールポイントを調整すると、このように、カーブをコントロールすることができます。

取っ手の位置

カーブが少しポットと干渉するようにしておきましょう。こうすることで、後にカーブに厚みを付けた際、取っ手がポットに刺さっている表現に仕上げることができます。

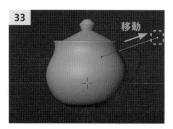

33

次に、ハンドルを動かしてみましょう。コントロールポイントを選択すると現れる直線の端をハンドルと呼びます。

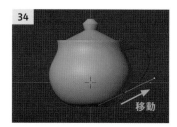

34

このハンドルを動かす（G）と、コントロールポイント同様に、カーブをコントロールすることができます。

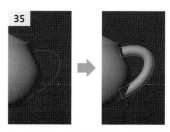

35

ハンドルのカーブができたら、オブジェクトモードに戻り（Tab）、厚みをつけていきましょう。オブジェクトデータプロパティ内の「ジオメトリ」を開いて、「ベベル」の「深度」の値を設定します。ここでは0.2に設定しました。

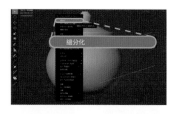

Tips

コントロールポイントの追加

2つのコントロールポイントの間に、新たに追加したい場合は、2つを選択した状態で右クリックから細分化を選びます。ただし、コントロールポイントは少ない方が、綺麗なカーブを描きやすいです。不要なコントロールポイントは X で削除できます。

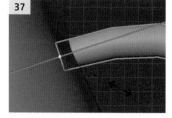

36

ここから、再度編集モードに入って（Tab）、厚みに変化を付けていきます。コントロールポイントを選択します。

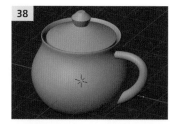

37

Alt + S を押しながらマウスをドラッグさせると、ベベル（太さ）の調整ができます。
カーブのベベル → p.120

38

これで取っ手は完成です。少しカクカクしてしまっているので、サブディビジョンサーフェスモディファイアをかけてなめらかにしましょう。

39

移動して回転

同様にして、ポットの注ぎ口も作っていきます。カーブを追加して（Shift + A）、見えるところに [移動] させ（G→Y）、[回転] させます（R→Y→90）。

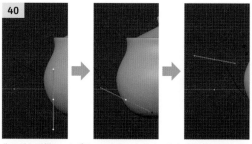

40

先ほどと同様に、まずはコントロールポイントを [移動]（G）、[回転]（R）させながら全体を調整していきます。

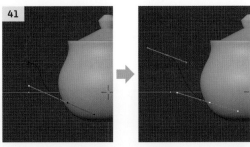

次に、コントロールポイント、ハンドルの順にクリックし、[移動]（Ｇ）させながら、微調整していきます。

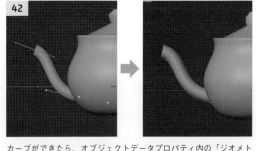

カーブができたら、オブジェクトデータプロパティ内の「ジオメトリ」を開いて、「ベベル」の「深度」の値を0.2に設定します。

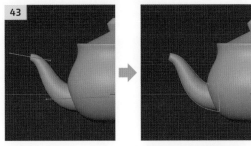

コントロールポイントを選択し、Alt＋Sで太さを調整し、サブディビジョンサーフェスモディファイアを追加したら、注ぎ口の完成です。

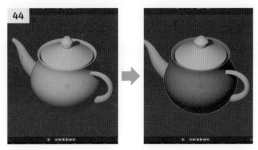

レンダープレビューに移動して、マテリアル設定をしていきます。今回は、艶のあるティーポットにするため、プリンシプルBSDFの「粗さ」の値を0.2にします。

他のパーツも同じマテリアルを設定していきます。

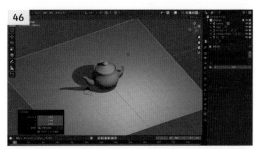

背景となる平面を追加し、環境設定・レンダリングをして完成です！

ポット本体を艶がある素材にしているため、今回はエリアライトを2つ追加して光を反射させ、更にライト本体に色を設定しています。

YouTube

動画でもRecipeを確認

https://youtu.be/r3NdH-d5to0

Part 1 ― 基本をマスターしよう

16

バネを
つくろう

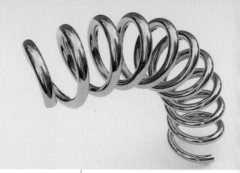

スクリューモディファイアを用いて螺旋形状を作成し、カーブモディファイアを
用いて、カーブに沿いながら螺旋形状を変形させます。編集モードのヘッダー
メニュー「辺」の中の「スクリュー」ツールでも同等の働きができます。

新出機能の確認

スクリュー
モディファイア（2）

スクリューモディファイアの
「スクリュー」の値を変化させる
と、オフセット量（ズラす量）
を変更することができます。

スクリューツール

スクリューツールはスクリュー
モディファイアと同様の働きを
します。主な違いは、スクリュー
ツールは基本断面の角度
を指定できる点です。

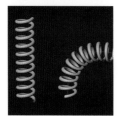

カーブモディファイア

カーブに沿ってメッシュを変形
します。モディファイアプロパ
ティの「カーブオブジェクト」
をクリックして、オブジェクト
に影響を与えたいカーブを指定
します。

Step 1 ｜ スクリューをつくろう

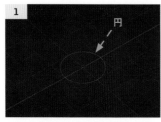

まず、円を用いて、バネの断面を作ってい
きます。立方体を［削除］し（Ｘ）、円を追
加します（Shift＋Ａ）。

円をX軸を中心に90度［回転］（Ｒ→Ｘ→
90）させます。

編集モードに入り（Tab）、［全選択］して
（Ａ）、右側に動かします（Ｇ→Ｘ）。このと
き、原点がXYZ軸の中心に残ったまま、円
のメッシュだけが動いていることがポイン
トです。

スクリューモディファイアを追加します。
スクリューモディファイア→p.126

モディファイアのメニュー内の座標軸はこの時点ではZになっています。

これをYに変更します。するとこのようにドーナツ状になります。

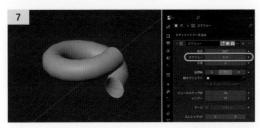

モディファイアープリパティの「スクリュー」の値を変更すると、スクリューのオフセット量を調整できます。ここでは3mに設定しました。

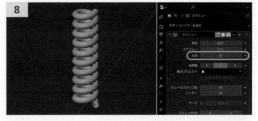

モディファイアープリパティの「反復」の値で、この回転体を何回反復させるかを定義します。ここでは、反復の値を10に設定しました。

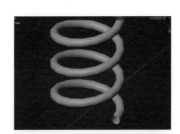

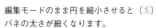

バネの太さの調整

編集モードのまま円を縮小させると（S）バネの太さが細くなります。

編集モードのまま円をX軸に沿って移動させると（G→X）、円が回転中心に相対的に近づき、バネの径が大きくなります。逆に、円を外側へ移動させると（G→X）、円が回転中心に相対的に遠くなるため、バネの径が大きくなります。

次に、このバネをカーブに沿って曲げていきましょう。作成したバネが少し大きすぎるので、オブジェクトモード（Tab）で1/10の大きさに調整しておきます（S→0.1）

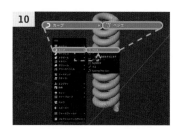

次に、カーブを追加します（Shift＋A）。
カーブ→p.23、120

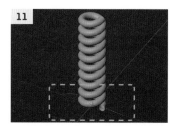

ここで追加されたカーブに沿ってバネを曲げていくことになります。

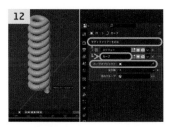

バネを選択した状態で、カーブモディファイアを追加したら、モディファイアのメニュー内のカーブオブジェクトのスポイトで、先ほど追加したベジェカーブを選択します。

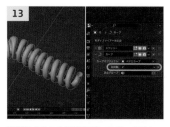

変形軸をXからZに変更します。すると、このようにカーブに沿ってバネが曲がっていることが分かります。カーブを編集すると、それに沿ってバネの曲がり方も変化します。

カーブの編集のモード

カーブの編集は、必ず編集モードで行うようにしましょう。オブジェクトモードでカーブを回転・移動してしまうと、軸がズレてしまいバネがカーブに沿わなくなってしまいます。

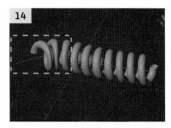

編集モードで、コントロールポイントを［全て選択］します（A）。

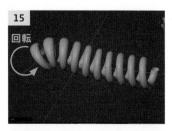

X軸を軸にして90度［回転］させます（R→X→90）。

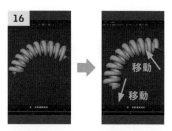

その後フロントビューで円弧を描いていきます。

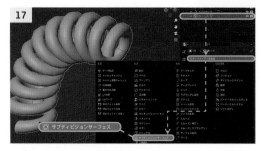

オブジェクトモードに戻り（Tab）、ネジのオブジェクトを選択して、サブディビジョンサーフェスモディファイアを追加しましょう。

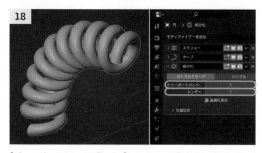

「ビューポートのレベル数」と「レンダー」の数をそれぞれ3にしておきます。

Step 3 │ マテリアル設定をして仕上げよう

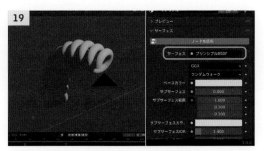

レンダープレビューに移動して、マテリアル設定をしていきます。
金属の質感が出るように、プリンシプルBSDFを設定していきます。

ベースカラーをグレーにします。

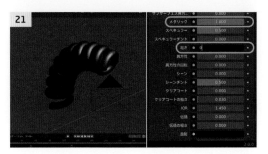

メタリックの値を1、粗さの値を0に設定します。
金属（マテリアル）→ p.43

金属の質感を出すためには、背景に環境テクスチャ（HDRI画像）
を設定する必要があります。ワールドプロパティのカラー内の環境
テクスチャを選択します。

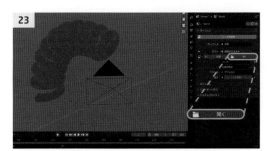

メニューの「開く」からHDRI画像を読み込みます。
環境テクスチャ→p.49

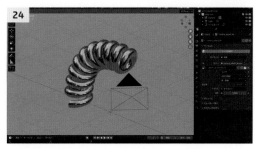

今回はRecipe 05と同じものを使用しました（p.75）。

背景となる平面を追加し、環境・カメラ・レンダープロパティの設
定をしたら、レンダリングをして完成です！

YouTube

動画でもRecipeを確認

https://youtu.be/VhELdnBeUew

Recipe
17

ラジオを
つくろう

/ Part 1

サンプルダウンロード │ Part 1 ＞ 📁 Recipe 17

パンチングメッシュはワイヤーフレームモディファイアとサブディビジョンサーフェス
モディファイアの組み合わせで簡単に作成できます。取っ手は平面の頂点をベベ
ルしながらスキンモディファイアを、2つのダイアルはリンク複製を活用します。モ
ディファイアを最大限に活用しながらサクサクモデリングを進めていきましょう。

新出機能の確認

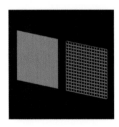

ワイヤーフレーム
モディファイア

ワイヤーフレームモディファイ
アは、メッシュを立体化してワ
イヤーフレームに変換するモ
ディファイアです。ワイヤーフ
レームに変換するためには面が
必要です。

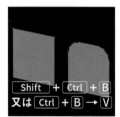

頂点のベベル

選択した頂点で、メッシュの角
または辺を丸めます。辺のベベ
ル（p.60）のときとショート
カットが違うので注意が必要で
す。

Shift ＋ Ctrl ＋ B
又は Ctrl ＋ B → V

スキンモディファイア

頂点と辺から厚みを持ったサー
フェスを作成します。Ctrl ＋ A
を押した後にドラッグすると、
スキンの厚みを変化させること
ができます。

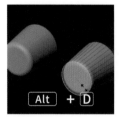

リンク複製

元のオブジェクトにデータをリ
ンクして複製する手法です。編
集モードで一方のメッシュやマ
テリアルを編集すると、リンク
されている全てのオブジェクト
でも同じ編集が反映されます。
テーブルの脚等、対称性を持つ
オブジェクトをモデリングする
際に有効です。

Alt ＋ D

Step 1 │ スピーカー周りの骨組みを作成しよう

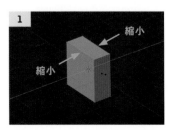

まず、スピーカー周りの骨組みを作っていきま
しょう。立方体を選択して編集モードに入り
（Tab）、前後方向に［縮小］します（S → Y）。

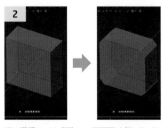

辺の選択モード（2）で、Shift を押しながら
4つの辺を選択し、［ベベル］を適用します
（Ctrl ＋ B）。

ベベルを適用した後、左下に現れるオペ
レーターパネルの「セグメント」数を1か
ら5に変更しましょう。

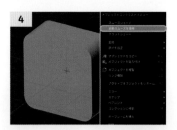

オブジェクトモード（Tab）で自動スムーズシェードを使用しましょう（右クリック）。
自動スムーズシェード→p.60

次に、円柱を使って穴を開けていきましょう。円柱を追加したら（Shift+A）、左下に現れるオペレーターパネルの「頂点」の数を32から100に変更します。自動スムーズシェードを使用しましょう（右クリック）。

Tips

滑らかな表現

頂点数を増やした理由は、後にサブディビジョンサーフェスモディファイアを追加しなくても滑らかな見た目を表現するためです。分割数を擬似的に増やすサブディビジョンサーフェスに頼らず、オブジェクトの頂点数を増やしておきます。このような様々なテクニックを知っておきましょう。

Part 1 ── 基本をマスターしよう

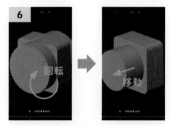

X軸を中心に90度［回転］させ（R→X→90）、大きさ（S）と位置（G）を調整します。円柱の奥面が立方体を貫通しないようにしましょう。

立方体を選択した状態でブーリアンモディファイアを追加します。オブジェクトは、先ほど作成した円柱を選択しましょう。

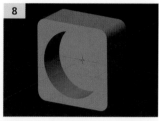

ブーリアンを行うために作成した円柱は非表示にしておきます。
ブーリアンモディファイア→p.92

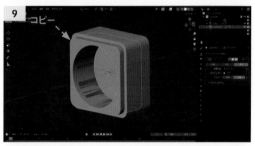

この立方体を［選択］・［コピー］（Shift+D）して大きさと位置を調整します。1つ目の立方体からブーリアンが引き継がれているのが分かります。2つのパーツは、後ほど違う色を設定したいので、別のオブジェクトとしてコピーをしています。

更に装飾を追加していきましょう。UV球を追加して（Shift+A）、編集モードに入ったら（Tab）、小さくして（S）、立方体の角に配置します（G）。

同様に、他の立方体の角にも同じ装飾を追加するために、ミラーモディファイアを追加しましょう。モディファイアープロパティの座標軸のXとZ両方にチェックが入るようにすると、このように四角に配置されます。うまくいかないときはp.118のTipsを参照ください。

後に、金属のマテリアルを設定してキラリと光らせたいので、表現を滑らかにするために、自動スムーズシェードを使用しておきましょう。
ミラーモディファイア→p.88

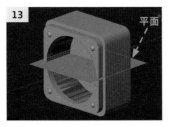

次に、スピーカーのメッシュを作成していきます。平面を追加します（Shift + A）。

平面をX軸を中心に90度［回転］させましょう（R → X → 90）。小さいほうの立方体より一回り小さく［縮小］します（S）。

さらに内側に平面を［移動］します（G）。

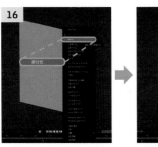

編集モード（Tab）で、平面だけを表示して（/）、細分化を行ったら（右クリック）、同じ操作を4回繰り返します（Shift + R）。
選択オブジェクトの表示→p.80

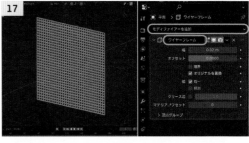

オブジェクトモードに戻って（Tab）、ワイヤーフレームモディファイアを追加しましょう。このように、辺が立体化されワイヤフレームが生成されます。
ワイヤーフレームモディファイア→p.130

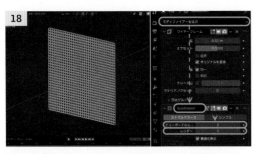

更に、サブディビジョンサーフェスモディファイアを追加しましょう。「ビューポートのレベル数」と「レンダー」の数をそれぞれ3にしておきます。
サブディビジョンサーフェスモディファイア→p.72

パンチングメタルの表現

ワイヤーフレームモディファイアを追加したオブジェクトに、サブディビジョンサーフェスをさらに追加すると、このようにパンチングメタルのような表現が可能になります。ぜひ覚えておきたい組み合わせですね。

Step 3 | ラジオ本体を作成しよう

再度全体を表示して（ I ）、ラジオの本体となる立方体を1つ追加し（ Shift + A ）、編集モードに入ります。

この後、立方体の大きさを調整してベベルモディファイアを追加します。オブジェクトモードで編集してしまうと、拡大縮小情報が残ってしまい、ベベルが均等にかからないため、必ず編集モードで作業を行うようにしましょう（p.79）。

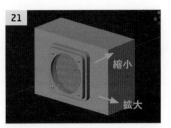

このように、スピーカーより一回り大きく横長になるように本体の位置（ G ）と大きさ（ S ）を調整しましょう。

オブジェクトモードに戻り（ Tab ）、ベベルモディファイアを追加します。「セグメント」の値を1から5に変更して、自動スムーズシェードを使用します。

次に、平面にスキンモディファイアを適用して、取っ手を作っていきます。平面を追加します（ Shift + A ）。

X軸を中心に90度［回転］したら（ R → X → 90）、［拡大］（ S ）、［移動］（ G ）します。

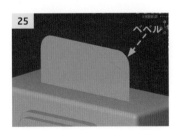

編集モードに入って（ Tab ）、上部2つの頂点に［ベベル］を追加します（ Ctrl + B → V ）。
頂点のベベル→p.130

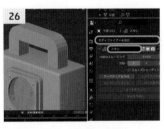

オブジェクトモードに戻り（ Tab ）、スキンモディファイアを追加します。
スキンモディファイア→p.130

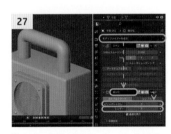

続けてサブディビジョンサーフェスモディファイアを追加します。「ビューポートのレベル数」と「レンダー」の数をそれぞれ5にしておきます。

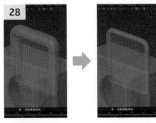

再び編集モードに入り（ Tab ）、全ての頂点を選択したら（ A ）、 Ctrl + A を押しながらドラッグし、スキンの太さを調整します。

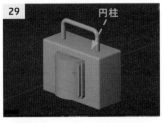

オブジェクトモードに戻って（ Tab ）、取っ手の保護パーツを作っていきましょう。円柱を追加します。

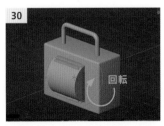

円柱をY軸を中心に90度［回転］させます（ R → Y → 90）。

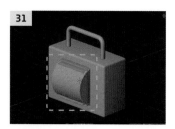

編集モードに入ります（Tab）。

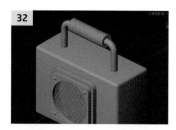

大きさ（S）と位置（G）を調整しましょう。再びオブジェクトモードに戻って（Tab）、このパーツにベベルモディファイアを追加します。

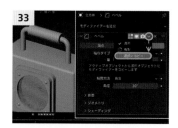

既にラジオ本体にベベルを追加しているため、このモディファイアをコピーしましょう。円柱（コピー先）→立方体（コピー元）の順に選択して、モディファイアプロパティーのプルダウンから「選択にコピー」を選択します。

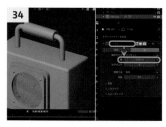

取っ手パーツのモディファイアープロパティで「量」を0.1から0.05に変更しましょう。自動スムーズも使用しておきます。

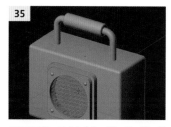

ここまで作ってきた本体、取っ手、取っ手の保護パーツの3つのオブジェクトをShiftキーを押しながら選択します。

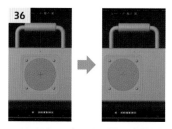

フロントビュー（テンキー1）で位置を調整します。これら3つのパーツを、向かって右側に少し［移動］（G）させましょう。

Step 4 複製やリンク複製を用いて、効率的にパーツ作成をしよう

最後に、ダイヤルをつくります。取っ手の保護パーツで作成した円柱を［コピー］して（Shift+D）、Z軸を中心に90度［回転］させます（R→Z→90）。

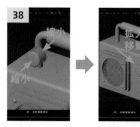

編集モードに入り（Tab）、前後方向に［縮小］（S→Y）させたら、［拡大］（S）、［移動］（G）しながらダイヤルを作成していきます。

このダイヤルをコピーして行きます。後ほど同じ色にしたいため、［リンク複製］（Alt+D→Z）を活用します。色やメッシュの情報を共有することができる複製方法です。リンク複製は、オブジェクトモードで行います。
リンク複製→p.130

Tips

非表示

スピーカーの穴をくり抜くために作成した
円柱は、レンダリングの際にも非表示になる
よう、カメラのマークをクリックして非
表示にしておきましょう。

2つのオブジェクトを選択し、[コピー]をしな
がら前方へ移動させます(Shift+D→Y)。

円柱が重なった状態になります。

編集モードに入り(Tab)、[全選択]をして(A)、[縮小]します
(S)。

すると、両方のオブジェクトの大きさが変化していることがわかり
ます。

これでモデリングは完了です。

マテリアル・環境設定をしたら、レンダリングをして完成です!

YouTube

動画でもRecipeを確認

https://youtu.be/FcuPuAQFQB8

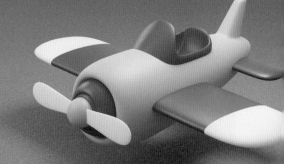

Recipe 18

飛行機を つくろう

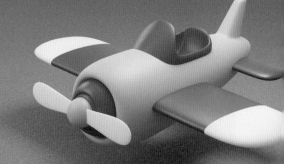

ここまで学んできた技法を用いて、少し複雑なポリゴン（頂点・辺・面）のモデリングに挑戦してみましょう。細かなポリゴンから作り込んでいくのではなく、大まかなアウトラインを少ない頂点数で調整し、そこから徐々に細分化していきます。

Step 1 | 飛行機のボディをモデリングしよう

まず、飛行機のボディを作っていきましょう。立方体を選択し、編集モードに入ります（Tab）。前後方向に［拡大］しましょう（S→Y）。

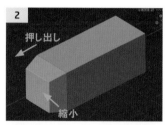

前面を前方に少し［押し出し］（E→Y）、［縮小］します（S）。

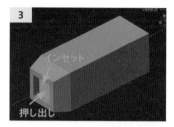

そのまま［インセット］で面を差し込み（I）、後方に［押し出し］ます（E）。

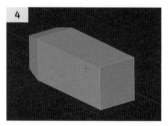

後方の面を選択します。

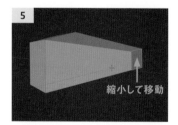

少し［縮小］し（S）、少し上方に［移動］させます（G→Z）。飛行機は、前から後に風が流れる流線型ですね。

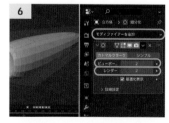

ここまでできたら、この立体を細分化していきましょう。サブディビジョンサーフェスモディファイアを追加します。「ビューポートのレベル数」と「レンダー」の数をそれぞれ2にしておきます。

次に、このサブディビジョンサーフェスモディファイアを適用して、編集モードで編集可能な状態にしていきます。適用は、オブジェクトモードに戻って行います（Tab）。

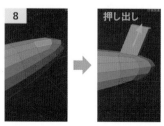

編集モードに入り、モデリングしていきましょう。尾翼を形成します。後方の面を2つ選んで、ライトビュー（テンキー 3）で上方に押し出します（E）。

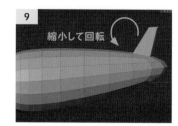

そのまま、［縮小］（S）［回転］（R）しましょう。

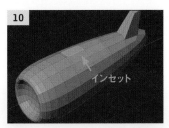

次に、キャビンを作っていきます。真ん中の面を選択し、[インセット] を行います（I）。

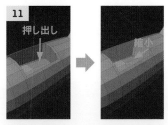

そこから下方へ [押し出し] て（E）、少し [縮小] しておきます（S）。

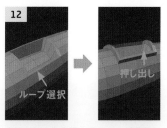

次に、凹みの周囲の面をループ選択し（Alt / Option +左クリック）、上方に [押し出し] ます（E）。

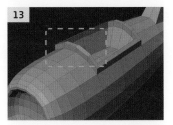

フロントのウインドウを作っていきましょう。2つ目を選択し、上方へ [移動] させます（G）。

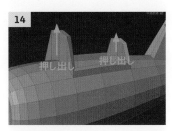

後ろ側も同様に、面を2つ選んで上方へ [移動] させます（G）。

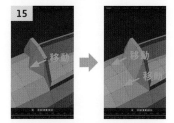

フロントガラスの形を整えていきましょう。頂点の選択モードに変更し（1）、中心近くの頂点を移動させながら、フロントガラスを形作っていきます（G→Y）。

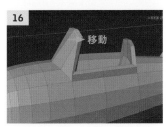

面の選択モードで、上面2つを選択し、後方へ下げます（G→Y）。

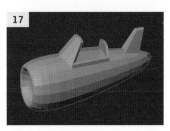

オブジェクトモードに戻って（Tab）、サブディビジョンサーフェスモディファイアを追加し、全体の形を確認してみましょう。

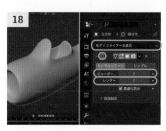

「ビューポートのレベル数」と「レンダー」の数をそれぞれ3にして、スムーズシェードを適用しておきます。

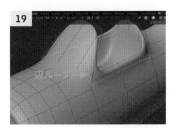

運転席周りの内角を鋭角にしたいため、[辺ループを挿入] しておきましょう（Ctrl +R →Enter / クリック→Esc）。

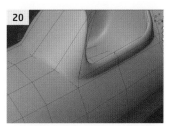

辺と辺の間隔が狭まることによって、このように、角の丸みがシャープになります。

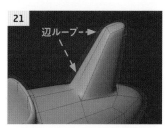

尾翼にも同様に、根本と頂点付近に [辺ループを挿入] しておきましょう（Ctrl +R →Enter / クリック→Esc）。

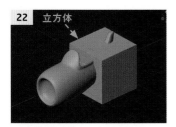

次に、前後のウィングを作っていきましょう。立方体を追加します（Shift+A）。

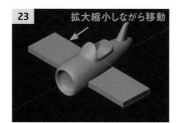

編集モードに入って（Tab）、[拡大・縮小]（S）、[移動]させながら（G）、おおまかなウィングの形を作成します。

サブディビジョンサーフェスモディファイアを追加し、「ビューポートのレベル数」と「レンダー」の数をそれぞれ4にしておきます。自動スムーズも使用しましょう。

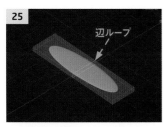

立方体だけを表示して（/）、編集モードに入り（Tab）、[辺ループを挿入]し、ちょうど真ん中で確定させます（Ctrl+R→Enter／クリック→Esc）。

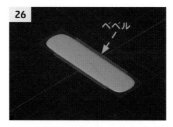

そこから[ベベル]を適用します（Ctrl+B）。ウィングの外側に向かってこのようにぐっと広げましょう。
辺のベベル→p.60

このウィングを後ろ側に[コピー]し（Shift+D）、大きさ（S）や位置（G）を調整します。

さらに、プロペラも作っていきます。後ろのウィングを[コピー]し（Shift+D）、ボディーの手前に[移動]させます（G）。

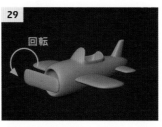

プロペラをX軸を中心に[回転]させます（R→X→90）。
回転→p.60

編集モードに入り（Tab）、真ん中の面のループをループ選択し（Ctrl+R）、縮小します。すると、リボンのような形ができます。

最後に、プロペラの軸を作っていきましょう。UV球を追加し（Shift+A）、自動スムーズシェードを使用して、プロペラの辺に配置します（G）。

UV球をコピーし、軸となるように[縮小]（S）、[移動]（G）していきましょう。このときに、プロペラも一応大きさなどを調整しながら全体のバランスをみましょう。

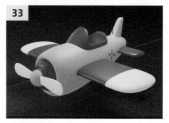

これでモデリングは完了です。マテリアル・環境設定をしたら、レンダリングをして完成です！

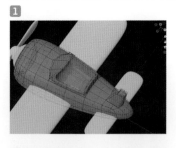

操縦席の塗分け

操縦席の色分けは、一見難しそうですが**1**、「選択の拡大縮小」というコマンドを使って楽に行うことができます**2**。まず、操縦席の底面を選択します**3**。

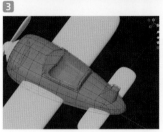

そこから、ヘッダーメニューの「選択」内ヘッダーメニューにある「選択の拡大縮小」の「拡大」を適用し、そのコマンドを5回繰り返す（Shift + R）とこのように選択できます**4**。

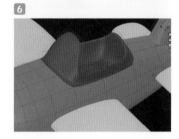

この領域にマテリアルを設定するとサブディビジョンサーフェスの効果で、このように色がはみ出してしまうため**56**、色の境界線に平均クリースを適用しておくのが良いです。

境界線の辺ループを選択したら、3Dビューポートの右側のプロパティシェルフを引き出し（N、またはプロパティシェルフのアイコン）、「平均クリース」の値を1にしましょう。または、Shift + E を押した後、ドラッグして辺のクリースを調整します**78**。
平均クリースは、エッジの鋭さを定義します（p.76）。値を1にするとシャープな角として表現されます。0の場合はサブディビジョンサーフェスに従った丸みになります。色の境界もズレなく表現してくれます。

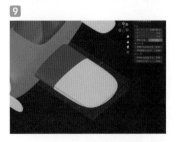

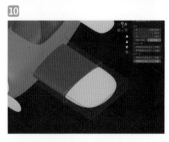

ウィングの色分けの際にも平均クリースを使いましょう**910**。

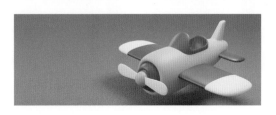

YouTube

動画でもRecipeを確認

https://youtu.be/T-OUzKaCAXI

3通りの角丸キューブの作り方

これまで見てきたベベル＝角丸の作り方について改めて整理してみましょう。

立方体にベベル（ Ctrl ＋ B ）を適用する

ベベルツールを用いてベベルを適用する方法です。この方法の良い点は、編集モードで辺の一部だけのベベルが簡単に行える点でしょう。一方で、適用してしまったベベルを元に戻すことは面倒です。

立方体にベベルモディファイアを適用する

次に、ベベルモディファイアを活用する方法です。この方法の優れている点は、オブジェクトを非破壊的に変形させる＝モディファイアであるため、やり直しが効くこと、さらには他のオブジェクトへコピーして複数のオブジェクトに一気に反映できる点でしょう。

一部の辺だけに適用したい場合は、モディファイアープロパティパネルの「制御方法」をウェイトに変更して、 N でサイドメニュー「トランスフォーム」を開き、ベベルを適用したい辺を選択して平均ベベルウェイトの数値を任意で設定することが必要となります。

立方体にサブディビジョンサーフェスを追加する

最後に、サブディビジョンサーフェスを活用する方法もあります。サブディビジョンサーフェスを追加したら、全ての辺を選択して Shift ＋ E で平均クリースの量を調整します。

サブディビジョンサーフェスを調整使用する場合、ベベルツールやベベルモディファイアと違う点は、角の丸みと丸みの間がフラットな平面ではない点です。このため、より柔らかい雰囲気の角丸が作成できます。

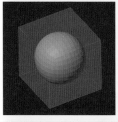

辺ループを挿入して丸みを調節する方法もあるでしょう。挿入した辺ループにベベルを適用すると、分割数が増えて角の丸みが小さくなります。

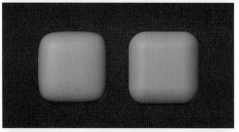

Part | # 2

質感をつくろう

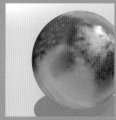

Part2では、作成した3Dシーンで、自由自在に質感の表現をすることを学びます。
画像を投影したり、直接書き込んでいくことで3Dシーンを鮮やかに彩る方法を身につけましょう。

この章で学ぶこと

質感をつくろう

Part 1 ではモデリングからレンダリングまで、3D シーンの作成に必要な一連の基本操作を学びました。この章では、3D シーンに「質感」をプラスする技法について学びます。

画像を投影したり、直接書き込んでいくことでオブジェクトの表面に自由に色や柄を載せていくことができます。さらに、テクスチャを加えることで、光の受け方や凹凸を表現することができます。

また、作成したマテリアルをライブラリにお気に入り登録して、いつでもサッと引き出せるようになれば、より表現が加速していくことでしょう。

この章を通じて、Blender で自由自在に質感の表現を実現していきましょう！

この章の機能を利用した制作サンプル

https://youtu.be/2-d8xDbe7Eg

https://youtu.be/VucTlcFvQCM

https://youtu.be/GTDm1Pe7jvo

https://youtu.be/O1d59Uyk1qs

全てパッケージデザインに UV 投影を使った例

この章で制作する作品の例

Recipe 19 キャンドルをつくろう

画像テクスチャで透過画像を使って貼り付けた例

Recipe 20 本をつくろう

カーブをメッシュに変換して、曲線を活かす例

Recipe 21 パッケージをつくろう

同じ画像テクスチャを複数のオブジェクトに使う例

Recipe 22 錆をペイントしよう

テクスチャペイントで様々な質感を作る例

Lesson 09 / Part 2

オブジェクトに画像を貼って みよう（画像テクスチャ）

モデリングしたオブジェクトにロゴを貼ったり、3D空間に絵を飾ったり。
Blenderで自由に画像を編集することができれば、表現の幅がぐんと広がります。
このレッスンでは、まずBlenderの3Dビューポートに画像を取り込み、空間
上で編集する方法について学んでいきましょう。

オブジェクトに画像を貼り付けよう

　画像の取り込みの方法は、大きく2種類あります。オブジェクトに画像を貼り付ける方法と、画像をそのままエンプティとして3Dビューポートに読み込む方法です。まずは画像をオブジェクトに貼り付ける方法から見ていきます。

　平面オブジェクトに画像を貼り付けてみましょう。新規のマテリアルを作成し、マテリアルプロパティのベースカラーの黄色い丸（ソケット）をクリックして、「画像テクスチャ」を選択します。

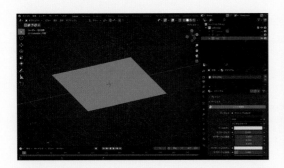

シェーディングワークスペース

　ここで、「シェーディング」ワークスペースを少し覗いてみましょう。

　レンダリングで出力されるマテリアルや環境は「シェーディングノード」と呼ばれるネットワークを用いて定義されています。ノードとは、マテリアルやライト、ワールドを構成する情報を持ったものです。

　マテリアルに画像テクスチャを設定すると、「プリンシプルBSDF」（中央）に「画像テクスチャ（画像）」（左）が接続されていることが分かります。このノード間を繋ぐ接続口を「ソケット」と呼びます。マテリアルプロパティのパネル上にも黄色や紫色のソケットが表現されており、ソケットをクリックすると、接続できるノードのオプションが表示されます。

　ノードについてはLesson 11で詳しく解説します。

メニューの「開く（フォルダのアイコン）」をクリックし、任意の画像を取り込みます。ソリッドモードでは割り当てられた画像が見えないので、マテリアルプレビューモードにしておきましょう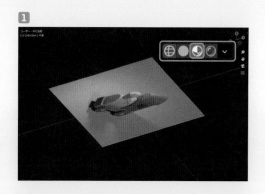。

それではトップビュー（テンキー⑦）で見てみましょう。正方形に対して、横長の画像が割り当てられている場合、このように横方向に圧縮されて表示されます。平面を左右方向に拡大（S→X）することでバランスを調整できます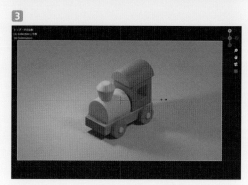。

オブジェクト追加から、エンプティとして取り込もう

3Dビューポートへの画像の取り込み方としては、他にも、オブジェクトの追加（Shift+A）から、「画像」→「参照」を選択する方法もあります。また、3Dビューポートへ直接画像をドラッグアンドドロップしても同様になります。

このときに取り込まれた画像は、オブジェクトではなく、「エンプティ」として取り込まれるため、編集モードで編集することができません。

また、平面に割り当てた画像との違いとして、平面の方は環境（ライトなど）の影響を受けていますが、エンプティでは画像がそのままの色彩で表現されています。環境光が調整されていない、レンダープレビューで見てみるとよくわかります。

背景透過画像を活用しよう

Blender公式ロゴを平面に貼ってみましょう。

平面オブジェクトに画像テクスチャを設定し、背景透過画像を読み込むと、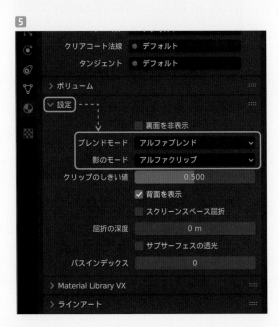のようになります。透過してほしいロゴの周りの部分が黒くなってしまっていますね。

必要な設定を、シェーディングワークスペースで行います。レンダリングエンジンがCyclesとEeveeの場合で必要な設定が違うため、それぞれ解説していきます。

Cyclesの場合

Cyclesの場合は、画像テクスチャノードとプリンシプルBSDFのアルファのソケット同士を繋ぐだけでできます。ロゴの周りの黒い部分が透明になりました。

Eeveeの場合

Eeveeの場合は、Cyclesで行ったノード設定に加えて、マテリアルプロパティーの「設定」の「ブレンドモード」を「アルファブレンド」に、「影のモード」を「アルファクリップ」にする必要があります。Eeveeで透明・透過表現をする際には欠かせない設定項目ですので覚えておきましょう。

背景透過画像とプリンシプルBSDFを組み合わせよう

オブジェクトのベースとして金属のマテリアル設定をプリンシプルBSDFで作成し、そこに背景透過画像のテクスチャを重ね合わせて見ましょう。

まずは平面のオブジェクトのマテリアルを金属にしておきます（p.43）。

ノード同士を組み合わせるために、シェーダーミックスというノードを追加します（Shift + A）。ノードが追加されたら、シェーダーミックスの出力側の「シェーダー」ソケットとマテリアル出力の「サーフェス」入力ソケットを繋ぎます。

次に、画像テクスチャの「カラー」ソケットをシェーダーミックスの「シェーダー」ソケットの下側に、「アルファ」ソケットを「係数」ソケットに繋ぎます。プリンシプルBSDFの「BSDF」ソケットはシェーダーミックスの上側の「シェーダー」ソケットに繋ぎましょう。するとのようになります。

環境テクスチャを設定すると、プリンシプルBSDFで作成した金属マテリアルと、画像テクスチャが組み合わされ、このようにロゴの周りの透過部分が金属の質感となって出力されます。オブジェクトのベースとなる色や質感をプリンシプルBSDFで設定しておいたところに、ワンポイントでロゴ等を配置する際に便利な組み合わせですので、是非活用していきましょう。

Part 2 — 質感を作ろう

画像を下絵として利用する

エンプティとして取り込んだ画像は、モデリングの際に下絵として活用することができます。その際には、エンプティを選択し、オブジェクトデータプロパティの「メニュー」→「不透明度」にチェックを入れ、透明度調整をして活用するとよいでしょう。

10

3Dと2次元を行き来する!?
UVについて学ぼう（UV編集・展開）

/ Part 2

オブジェクト画像を貼ってみたけど、思い通りに表示されない！ この問題を解決してくれるのが、UV編集・UV展開です。

UVとはオブジェクトにテクスチャを投影し、描き込むための目安になる座標情報を指します。UVの「U」はテクスチャの横座標、「V」は縦座標を表します。

UV展開とは、概念的には、3次元のオブジェクト（XYZ軸の中に存在）を、展開図として2次元化（UV軸の中に再配置）するイメージです。UV編集は、UV上に、マッピングされた3Dの面を投影して調整していく作業です。

画像をオブジェクトに思い通りに投影しよう

UVの概念を必要とするケースは主に2パターンあります。

一つは、既存の画像をオブジェクトに貼りつけるケース（2D→3D）。もう一つは、オブジェクトを展開図としてバラして、そこに外部ソフト等で絵やデザインを加え、再度オブジェクトに貼るケース（3D→2D→3D）です。それぞれ、見ていきましょう。まずは既存の画像を貼り付けるケースからです。

好きな画像を、立方体に投影していきましょう。画像テクスチャを設定し、画像を開いてみると、右上図のようになっています。これでは何の画像だかわかりません。

「UV編集」のワークスペースを開きます。左側がUVエディター、右側が3Dビューポートになっています■。3Dビューポートでの3Dビューは「マテリアルプレビュー」にしておきましょう。

デフォルトでは、3Dビューポートのモードは編集モードになっており、全てのメッシュが選択されている状態です。左側のUVエディターでは、3Dビューポートで選択されているメッシュが展開されてメッシュとして表示されている状態です■。

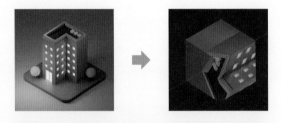

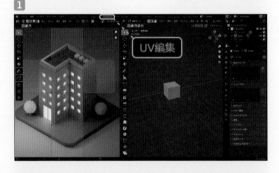

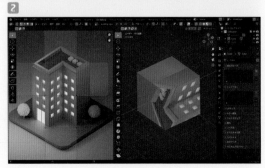

UVエディター上で、メッシュと画像の関係を見ていきましょう。UVエディターの視点操作やメッシュ編集の操作方法は、3Dビューポートの編集モードでのメッシュ編集と同様です。全てのメッシュを選択して、拡大してみましょう（A→S）。すると、メッシュに対して相対的に画像が小さくなるため、3Dビューポートで投影されている画像の大きさも小さくなっていることがわかります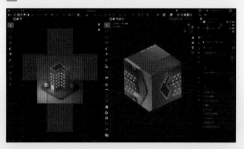

UVエディター上でメッシュをさらに拡大して（S）、1つの面の中に画像を移動してみます（G）。すると、1面に画像があり、画像範囲外の場所にも画像が繰り返し投影されている状態（リピート）になります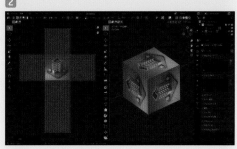

1つの画像を、繰り返し投影（リピート）するかどうかは、画像テクスチャの設定で変更できます。「シェーディング」ワークスペースの画像テクスチャノードの「リピート」のプルダウン  をクリックして「延長」を選択すると、画像範囲外のエリアは、画像の端にあるピクセルを延長します。「クリップ」を選択すると、画像の外側は黒くなります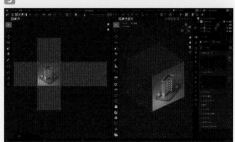

投影の角度を調整したいときには、UVエディター上で、回転させます。今回の場合はR→−90として、−90度回転させ、位置を調整しました（G）。どの程度回転させると、どう投影方法が変わるかは、色々と試してみて感覚をつかんでいきましょう。

Part 2 ── 質感を作ろう

拡張

クリップ

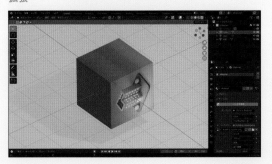

オブジェクトの展開図を作って、外部ソフトでデザインしよう

次に、オブジェクトの展開図をうまく作成する方法を見ていきましょう。立方体やUV球等のオブジェクトにはデフォルトで展開図が作成されています。

UV球

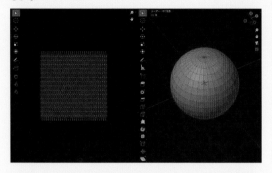

円柱

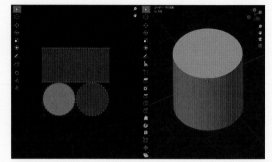

円錐

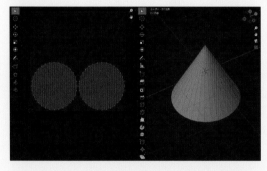

モンキー

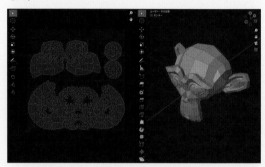

ですが、これらの基本オブジェクトに編集を加えてからUVを見ると、UVがうまく追従していない場合があります。例えば、円柱の上面を押し出し（E）・縮小（S）した場合を見てみましょう。新たに追加された斜めの面以外はうまくUV展開されていますが■、3Dビューポートで斜めの面を選択してUVエディターで見てみると、上下方向に潰れてしまっており、面が見えません■。

このような場合には、「UV展開」を行なっていくことになります。やり方は主に2種類あるので覚えましょう。

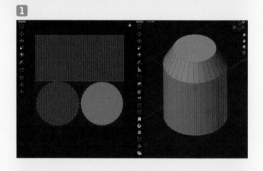

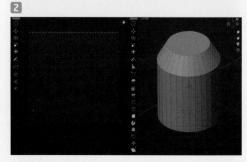

150

うまくいけばラッキー！　スマートUV投影をまず試してみる

　まず、お手軽な方法から。3Dビューポート上で
メッシュを全て選択し（Ⓐ）❶、UVマッピングの
メニュー（Ⓤ）から、「スマートUV投影」を選択し
ます❷。UV展開は、展開したいメッシュを選択し、
ⓊでUVマッピングを呼び出します。

　メニューで「OK」をクリックすると❸、❹のよう
に展開図が作成されます。すべての面が展開されて
おり、悪くは無いのですが、円柱の側面がバラバラ
になってしまっており、あまり良い展開図とはいえ
ません。

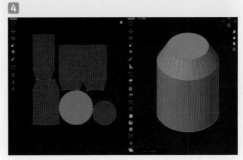

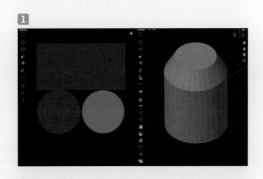

繰り返し投影の設定

　レイアウトタブで展開されているマテリアルプロパティで
も変更が可能です。

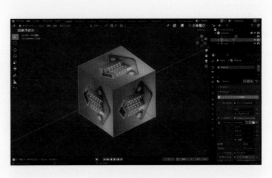

どこにハサミを入れるか？　考えてUV投影にチャレンジ

　スマートUV投影が上手くいかない際は、自分で展開図を作る「UV投影」を行います。展開図を作る際に、ハサミを入れる場所を自分で設定して、図を展開していく方法を見ていきましょう。

　一旦よくくるくると眺めてみて「どこで切ると良さそうか」を考えます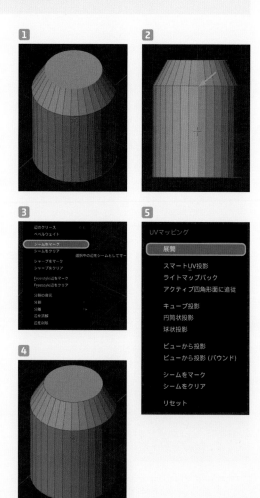。今回は、上下の円と、バックビューでみた際の真ん中の辺を選択しました②。展開図の切れ目は、必ず全て繋がっている必要があることと、できるだけ見えない場所に切れ目を入れることがポイントです。

　切れ目を選択できたら、右クリックをして「シームをマーク」を選択しましょう③。

　すると、④のように選択した線が赤い線に変わります。これが「ここに切れ目を入れます」という印になります。

　UV編集のワークスペースに再度移動しましょう。3Dビューポートで、全てのメッシュを選択し（Ⓐ）、UVマッピングのメニューを呼び出したら（Ⓤ）、「展開」を選択します⑤。

　すると、⑥のように展開図が作成されました。これでも悪くは無いですが、円柱の側面が円弧を描いて展開されているため、デザインを作る際には、編集しづらいかもしれません。

　円柱の側面は、フラットに展開したいため、シームをさらに追加して再度UV展開してみます（Ⓤ）。すると、⑦のようにより良い展開図が作成されました。自分なりに工夫してみましょう。

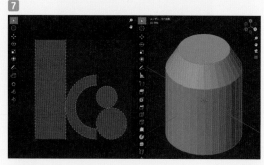

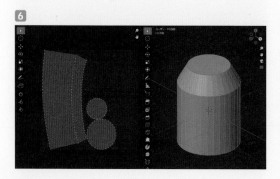

作成した展開図を書き出そう

作成した展開図を書き出す方法はとても簡単です。UVエディターのヘッダーメニューの「UV」の中に「UV配置をエクスポート」というメニューがありますのでこちらを選択し、任意の場所へ保存します。

保存する際には、出力フォーマットを選択することができます。Adobe Ilustrator等のベクターグラフィックソフトウェアで編集する際には、SVGで出力すると、メッシュがベクターデータとして読み込まれるため便利です。

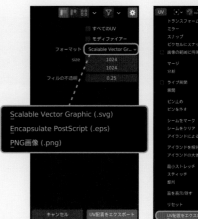

出力されたデータ

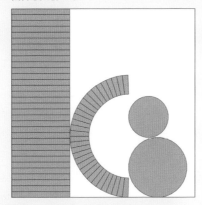

デザインを加えたデータ

作成されたUV展開の画像を任意のソフトで読み込み、編集したら、円柱に画像テクスチャを設定して、作成した画像を読み込みましょう。今回は、UV編集ワークスペースの、マテリアルプロパティーから設定をしました。

Step Up　こちらの動画もご参考ください。立方体からUV展開図を出力し、Adobe Ilustratorで編集した後、Blenderに取り込む作業を解説しています。

https://youtu.be/zVa5DfMwKBA

11

マテリアルをよりリアルに！
テクスチャ設定について学ぼう

/ Part 2

レンダリングで出力されるマテリアルや環境は「シェーディングノード」と呼ばれるネットワークを用いて定義されています。ノードの特性やパラメータの意味を覚えるのは少し大変です。しかしここでご紹介する最低限の機能さえ覚えてしまえば、オブジェクトの質感が上がり、表現の幅がぐんと広がりますので、ぜひチャレンジしてみましょう。

ノードを用いてよりリアルなマテリアルを設定しよう

まず初めに「シェーディングノード」について理解しておきましょう。

レンダリングで出力されるマテリアルや環境は「シェーディングノード」と呼ばれるネットワークを用いて定義されています。シェーディングノードを構成する「ノード」とは、マテリアルやライト、ワールドを構成する情報を持ったもので、レンダリング実行時の各処理を構成する機能を持ちます。

ノードの設定はシェーディングワークスペースで行おう

ノードを操作するための「シェーディング」というワークスペースを開いてみます。

中央上段のエディタ❶はデフォルトの状態では、3Dビューポートのマテリアルプレビューになっています。中央下段は「シェーダーエディター」と呼ばれる、ノードを操作するためのエディタ❷になっています。シェーダーエディターで様々なノードを組み合わせることにより、細かなマテリアル設定を行うことが可能になります。

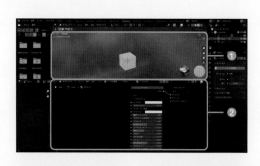

「プリンシプルBSDF」は万能ノード

マテリアルを新規作成するとデフォルトで設定されるノードは「プリンシプルBSDF」です。これまでの解説で学んできたマテリアルプロパティは、実はこのシェーダーエディターのプリンシプルBSDFそのものです。プリンシプルBSDFは、複数の項目を使いやすく1つにまとめた「シェーダー」ノードで、Unreal Engine® など他のソフトウェアとの互換性を持っています。

プリンシプルBSDF（シェーダー）にテクスチャを繋いでリアリティを高めよう

ノードネットワークには3種類があります。

1. シェーダノードネットワーク：マテリアルのためのノードネットワークです。マテリアル1つにつき、1つのシェーダノードネットワークを持つことができます。
2. テクスチャノードネットワーク：テクスチャのためのノードネットワークです。テクスチャ1つにつき、1つのテクスチャノードネットワークを持つことができます。
3. コンポジットノードネットワーク：レンダリングの後加工のためのノードネットワークです。

プリンシプルBSDF等の「シェーダー」は「光の反射・屈折・吸収」等の物理的なパラメータを設定するノードです。これに「素材の模様／色や質感・凹凸」を設定・貼り付けていくのが「テクスチャ」の役割です。

プリンシプルBSDFにテクスチャを繋ぐと、凹凸感や反射具合等のリアルな質感を表現することができます。例えば、オブジェクト（ポリゴン）自体に凹凸がなくても、「ノーマル」というノードを繋ぐことにより凹凸を表現できるのです。ノーマルはBlenderでは「法線」という意味で、色（RGB）情報をXYZの座標情報に変換し、モデル表面に溝や凹凸などを追加するテクスチャです。実際のジオメトリであるかのように光を受けている表現が可能になります。

プリンシプルBSDFに画像テクスチャを繋いでいる

プリンシプルBSDFにノーマル等の画像テクスチャを繋いでいる

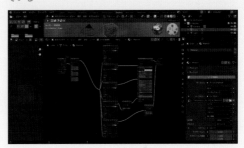

PBRテクスチャ素材の表現力を活用しよう

テクスチャには、画像（ビットマップイメージ）を使用する場合と、ノードで数値設定する場合があります。画像を使用する場合は、PBR（Physical Based Rendering）と呼ばれる、光の反射特性を物理的に正しく行うレンダリング手法（物理ベースレンダリング）を用います。PBR、すなわち画像の色（Base Color）、粗さ（Roughness）、凹凸（Normal）、光（Emissive）等の要素から、現実世界で行われている物理現象をPC上で再現（レンダリング）しようという試みで、フォトリアルな表現が可能となります。

PBRテクスチャ素材は次のウェブサイト等から無料・有料で入手することができます。これらのウェブサイトはPart 1の環境設定の際にご紹介したものと同様です。

尚、Texture.com（p.167）はアカウント登録が必要になりますが、PBRテクスチャや、環境設定に使用するHDRI画像だけでなく、3Dデータやデカールと呼ばれる背景透過素材等のハイクオリティな素材が豊富にありますので是非活用したいですね。

https://ambientcg.com/
https://polyhaven.com/
https://www.textures.com/

Part
2
—
質感を作ろう

PBRテクスチャ画像を活用してマテリアルを作成してみよう

ノードの構成

ノードの種類を問わず、Blenderの全てのノードは、タイトル、ソケット、プレビュー等のパーツから構成されます。ソケットには処理するデータ（入出力する情報）の種類に対応した色が付けられています。例えば、黄色は色情報を扱うソケットで、色や画像情報の受け渡しを行います**1**。

ノードの操作

ノードの追加は Shift + A で行うことができます。その他、複製（Shift + D）や削除（X）等、3Dビューポートと同様に操作できます。

ノード同士は「ソケット」と呼ばれる入力（ノードの左側）・出力（ノードの右側）口を結んで「リンク」と呼ばれる線で繋がれています。

ノード同士の接続は、ソケットを左クリックしながらドラッグします。接続解除は、入力ソケットからリンクをドラッグして離せばできます。

ノード使いの裏技！ PBRテクスチャを自動設定するNode Wrangler

ノードの特性やパラメータの意味を覚えて、一つ一つ設定していくことは初心者にとっては難しいものです。Blenderの「Node Wrangler」というアドオンを活用すれば、Blenderが自動でノードの接続を行なってくれます。Node Wranglerを使用して、実際にテクスチャを設定していきましょう。プリファレンスのアドオンメニューでNode Wranglerにチェックを入れておきましょう（p.76）。

プリンシプルBSDFノードを選択した状態**2**で Ctrl + Shift + T を押すと、ファイルを開くウィンドウが表示されるので、ダウンロードしたPBRテクスチャの全ファイルを選択します**3**。

すると、複数のテクスチャを読み込んで、ノードが設定されます**4 5**。

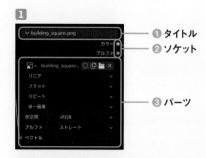

- **1** タイトル
- **2** ソケット
- **3** パーツ

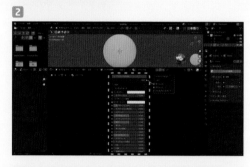

　必要に応じて「UV編集」ワークスペースでUV編集を行いましょう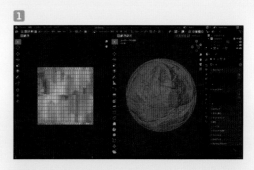。今回はUVエディター上でメッシュを1.5倍拡大して（Ｓ→1.5）、投影された画像が相対的に小さなるように調整しました２。

　凹凸を表現するためには、まず、レンダープロパティで「レンダーエンジン」をCyclesにします３。Eeveeでは凹凸表現ができませんが、それ以外の質感については表現されています４。用途に応じて使い分けましょう。

　マテリアルプロパティのパネルの「設定」の項目の「ディスプレイスメント」を「バンプのみ」にしましょう５。

　すると、このように凹凸が表現されます６。この凹凸表現の条件として、面が細分化されていることが必要です。立方体や平面などで表現する場合は、編集モードで細分化をしてポリゴンを分割しておきましょう。

　凹凸の強さは「ディスプレイスメント」の項目の「スケール」で調整します。1から0.3に変更すると７、このように凹凸の強さが調整されました８。

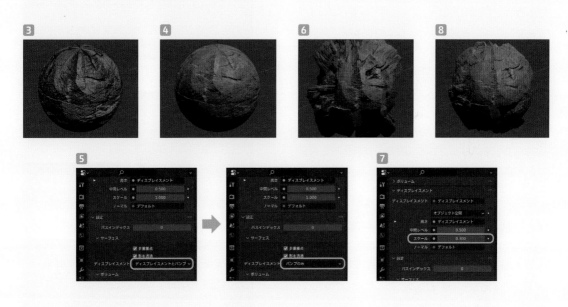

Step Up

　イメージベースのテクスチャに対して、数式を使って生成されたテクスチャをプロシージャルと呼びます。これは規則性をもったテクスチャの表現に適しています。こちらの動画で解説していますので参考にしてみましょう。また、ノイズテクスチャとバンプを用いた木の質感表現をRecipe 28で解説しています。

https://youtu.be/PBze_MuAqlM

Lesson 12

立体に絵を描いてみよう（テクスチャペイント）

/ Part 2

　モデリングしたオブジェクトに自由に絵を描くことができたら……テクスチャをBlender上でゼロからサクッと作れたら……実はそれは簡単にできます。Blenderにはテクスチャペイントという機能があり、Blender内で3Dモデルに直接ペイントし、画像テクスチャとして保存することができます。

　UV展開したテクスチャに絵を描いていく作業とは違い、直接立体に描くことができるためイメージしやすく、まずはテクスチャペイントで下絵を作成し、その下絵を別のペイントソフトで清書するという応用もできます。

最もシンプルなテクスチャペイント

キャンバス（ベース）となる画像を新規作成しよう

　最もシンプルなテクスチャペイントの手法について解説していきます。まず、テクスチャペイントを行う準備として、オブジェクトに画像テクスチャを設定していきます。オブジェクトを単色のキャンバスで包むイメージです。

　マテリアルプロパティのベースカラーの黄色い丸（ソケット）をクリックして、画像テクスチャを選択します。

　マテリアルプロパティ内のベースカラーに設定された画像テクスチャの「新規」をクリックして、新規画像を作成します。「カラー」で画像のベースとなる色を設定しましょう。今回はピンク色に設定しました。

立体に絵を描いてみよう

　「テクスチャペイント」のワークスペースを開きます。すると、左側が画像エディター、右側が3Dビューポート（ソリッドモード）となっています。

　モードはどちらもテクスチャペイントモードになっています。

　3Dビューポート上で絵を描き始めてみます。すると、左側の画像エディター上にも、立体に書いた絵が反映されていることが分かります。同様に、左側の画像エディター上で描くことも可能です。

ブラシを調整しよう

ブラシの色や径・強さは、上部のメニュー**1**、または右側のワークスペース**2**で調整しましょう（数値入力、または左右方向にドラッグ）。ブラシの径は**F**を押してからマウスをドラッグして調整することもできます。

上部のメニューエリアでは、数値をマウスでドラッグすることで左右方向にスクロールできます。

デフォルトでは、ブラシの強さは筆圧を反映する設定になっていますが、「強さ」の数値の右側のブラシアイコンをオフにすることで、筆圧に関わらず一定の強さで描くことができます**3**。

ブラシの「減衰」をカスタムすることで、輪郭のはっきりしたブラシで描くことができます**4**。この状態で、1クリックすると、このようにドット（丸）を描くことができて便利です**5**。輪郭がはっきりするため、輪郭がギザギザしているのが気になる場合は、画像テクスチャで新規画像を作成する際に、解像度の値を上げておきましょう。

また、この画像は必ず保存するようにしましょう。画像エディターの画像メニューの「名前をつけて保存」から任意の場所へ保存できます**6**。

保存しないままBlenderファイルを閉じてしまうと、次に開いたときに、作成した画像ファイルが失われてしまいます。Blenderファイルと同じフォルダに格納するのが良いでしょう。

この画像をもとに、外部ソフトで描画をする場合にも、同様に任意の場所へ保存して下絵にします。

外部ソフトで上書きした絵に差し替える場合は、画像メニューの「置き換え」からファイルを指定します。

その他の機能

そのほかに便利な機能としては、軸を対称にペイントできる機能があります**7 8**。顔等、左右対称の絵を書きたい時に便利に活用できそうですね。

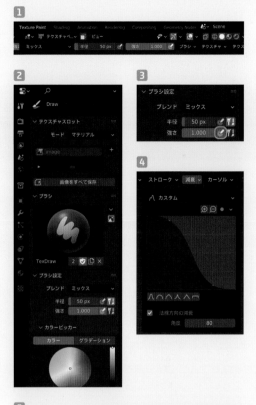

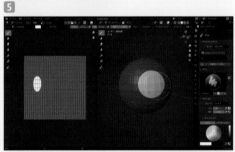

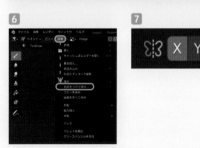

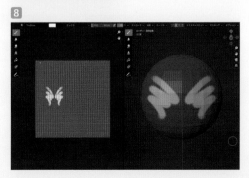

実はスゴい！ 色や凹凸を重ねていこう

テクスチャペイントでは、ベースカラーのほかに、凹凸表現もペイントしていくことが可能です。詳しくは、作品制作ページのRecipe 22で確認してみましょう。

画像を設定せず色を塗ることができる頂点ペイント

3Dオブジェクトに直接色を塗っていくという意味では、メッシュの頂点に色を付けていく「頂点ペイント」という手法もあります。頂点ペイントを行う際には、画像設定が不要な代わりに、シェーダーエディターで「カラー属性」（「頂点カラー」）のノードを設定し（Shift＋A）**1**、プリンシプルBSDFに接続します**2**。

レイアウトワークスペースに戻り、3Dビューポートの頂点ペイントモードにします**3**。

カラーピッカーで色を選び、頂点を塗っていきます。あくまで頂点に色を設定するものなので、頂点数が少なければ、塗ることができる範囲や自由度が小さくなります**456**。

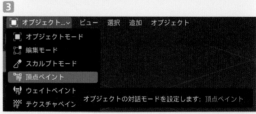

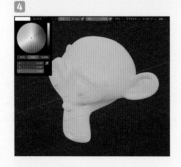

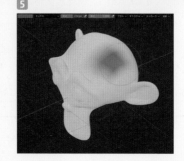

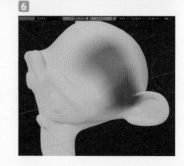

スカルプトモードでの頂点ペイント

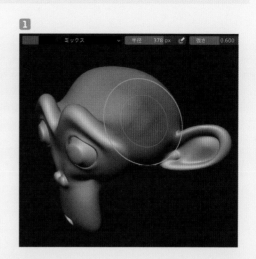

Blender 3.2から、頂点ペイントはスカルプトモードでも描くことが可能になりました。スカルプトモードとは、粘土のように直感的にメッシュを編集できる機能で、「スカルプト」ワークスペースで行います。

レイアウトワークスペースのソリッドモードで確認する際には、ビューポートシェーディングの「カラー」「属性」をアクティブにしておきます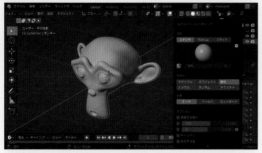。

マテリアルプレビューや、レンダープレビューで反映させるためにはシェーディングワークスペースで「属性」ノードを追加し、プリンシプルBSDFのベースカラーソケットに繋ぎましょう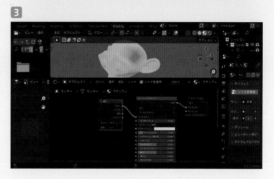。

Part
2
質感を作ろう

頂点ペイントのぼかし

ぼかしツールで色と色の間をブレンドさせていくことができます。

13

お気に入りを登録して使い倒そう（アセットブラウザー）

/ Part 2

せっかくマテリアル設定をしても、新規ファイルを開いた際に初めから作り直したり、別ファイルから持ってくるのは面倒ですよね。Blender 3.0から本格搭載されたアセットライブラリを活用すれば、マテリアルやワールド背景等の素材をストックしていつでも引き出せるようになります。

アセットブラウザーを使ってみよう

アセットブラウザーは、よく使うモデルやその他のデータなどを、効率よく使用できるBlenderの機能です。よく使うマテリアルやオブジェクトをアセットブラウザーに保存しておくと、そこにストックした素材をシーンやオブジェクトにドラッグするだけで配置することができます。

まずは、アセットブラウザーでできることを体感してみましょう。Blender公式のデモファイル*をダウンロードして「cube_diorama.exe」を開いてみましょう。

デモファイルを開くと、左側にオブジェクトのアセットライブラリが、下にマテリアルのアセットライブラリが現れます。試しに左側の「Display Case」を3Dビューポート内のシーンへドラッグしてみると、このようにオブジェクトと、操作用のギズモが現れ、配置・操作ができます。

また、下部の「Wood4」マテリアルを白い壁に向かってドラッグアンドドロップすると、壁のマテリアルが木目に変化しました。マテリアルはそれを使用するオブジェクトにドラッグして使用します。

このように、アセットブラウザーとは、マテリアルやオブジェクト、環境設定等のライブラリ・お気に入り登録機能のようなものです。登録しておけば、アセットブラウザーからドラッグアンドドロップするだけでオブジェクトやマテリアルが簡単に配置できます。

次に、他のファイルでこのデモファイルのアセットを呼び出す方法や、アセットを自作する方法について学びましょう。

（＊）https://www.blender.org/download/demo/bundles/bundles-3.0/asset-demo-bundle-3.0-cube-diorama.zip

アセットを作ってみよう

ここから、オリジナルのアセットブラウザーを作っていきましょう。

まず、オブジェクト、マテリアル、ワールド等、アセットにしたいものを作成します。

オブジェクトの場合は、アセットにしたいオブジェクトを選択し、ヘッダーメニュー「オブジェクト」の「アセット」→「アセットとしてマーク」を選択しましょう**1**。または、アウトライナー（の中のデータブロックのリスト）の例えば「モンキー」上で右クリックをして「アセットとしてマーク」を選択しても、アセットライブラリ内にオブジェクトが追加されます**23**。

アウトライナー（の中のデータブロックのリスト）を見てみると、モンキーの名称の前にアセットライブラリのアイコンが加えられています**4**。

マテリアルの場合は、マテリアルスロットパネル（の中のデータブロックのリスト）で、特定のマテリアル（データブロック）上で右クリックをして「アセットとしてマーク」を選択しましょう**5**。オブジェクトのときと同様に、アセットライブラリにマテリアルが追加されます**6**。

ワールドの場合は、ワールドプロパティの名前（データブロック）上で右クリックをして「アセットとしてマーク」を選択しましょう**78**。ワールドの作成方法はLesson 5を参照してください。

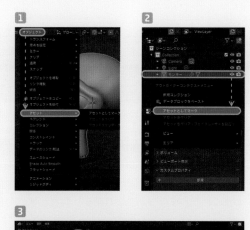

アセットを置く場所＝「アセットライブラリ」を指定しよう

Blenderがアセットを参照できるようにするためには、アセットがPC内のどこ（フォルダ）に保存されているのか、登録してしておく必要があります■。

プリファレンス内の「ファイルパス」を開き、「アセットライブラリ」でフォルダのパスを登録します。ここで指定されたフォルダの中に、アセットを持つBlenderファイルを配置すれば、アセットライブラリが参照できるようになります2。

アセットを持つBlenderファイルは、フォルダ内に複数個置いても大丈夫ですし、フォルダ内にサブフォルダを設置して、サブフォルダに置いても大丈夫です3。

また、アセットライブラリを指定するフォルダは複数登録することができます。アセットブラウザーエディターのプルダウンから切り替え、用途に応じて切り替えることも可能です4。

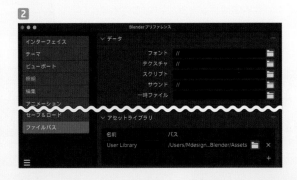

指定場所へBlenderファイルを格納して、アセットを保存しよう

最後に、プリファレンスで指定した場所へ、ファイルを保存しましょう。これで、アセットライブラリの作成は完了です！

作成したアセットブラウザーを参照してみよう

新規ファイルを作成し、デフォルトではタイムラインになっている下部のエディターを、アセットブラウザーに変更します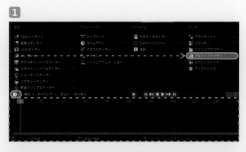。

デフォルトでは、現在のファイルのアセットを表示します。この新規作成ファイルではアセットを作成していないため、アセットブラウザーには何も現れません。

現在のファイルのプルダウンを確認すると、ユーザライブラリが選択できることが分かります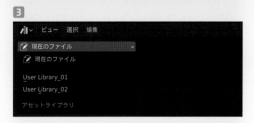。ユーザーライブラリを開くと、先程作成したアセットが並んでいます。

このライブラリからアセットを選択して、3Dビューポートへドラッグして配置します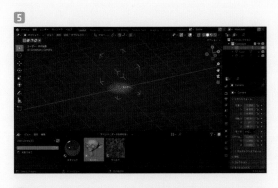。マテリアルは、対象のオブジェクトにドラッグすると反映されます。

アセットカタログで、アセットを整理しよう

沢山のアセットを作成して、創作活動を加速させていきましょう。その際、作成したアセットを「アセットカタログ」で整理しておくと便利です。■はアセットカタログの例です。

アセットカタログ上の「＋」をクリックして、新規のカタログを作成しましょう■■。作成された「Catalog*」をダブルクリックすると、名称を変更できます■■。

試しに、マテリアルのカタログを作成してみましょう。カタログの「未割り当て」をクリックしてから、「メタリック」アセットを先程作成した「マテリアル」カタログへドラッグします■■。アセットカタログは、現在のファイルでしか操作できませんので注意が必要です。

マテリアルのカタログをクリックしてみると、「メタリック」マテリアルがカタログ内に移動していることが分かります■。

「アセットカタログ」はフォルダ（ファイルディレクトリ）のような構造していますが、アセットライブラリの場所とは独立しています。アセットライブラリ内に複数のファイルがある場合も、一つのカタログ階層上に統合・整理して参照することが可能です。

カタログはいくつでも作ることができますが、アセットは一度に一つのカタログにしか割り当てることができません。

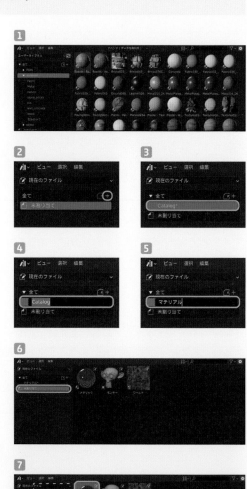

アセットの削除

　アセットの削除は、アセットライブラリ上で右クリックをして「アセットをクリア」します。アセットを作成したファイル上でしか削除できませんので注意が必要です。

Texture.com | Column

　Texture.comでは一定期間でダウンロードできる量（クレジット）ごとに、いくつかの購読プランがされています。素材ごとにクレジットが設定されており、無料プランでは、1日にダウンロードできるのは、15クレジットまでです。有料のプランは、1ヶ月に1,000クレジットが使える13ドルのプランから、5,000クレジットが使える39ドルのプランまであります。まずは無料プランでも十分に楽しめます。是非登録して使ってみてみましょう。

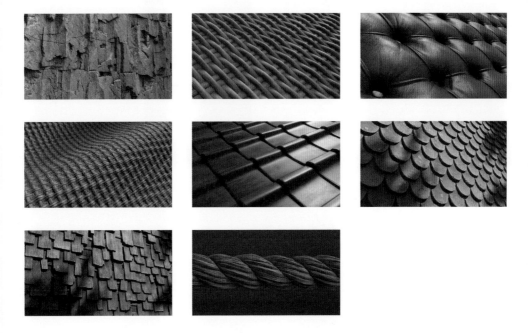

Part
2
質感を作ろう

キャンドルを
つくろう

画像テクスチャを用いてオブジェクトに画像を貼りましょう。今回は、背景が透過されている炎の画像を用い、画像テクスチャを透過BSDFシェーダーと放射シェーダーに接続し、炎が光っている様子を再現します。3Dシーンの作成には、アセットブラウザを用いてワールドや床を設定します。

新出機能の確認

画像テクスチャ

オブジェクトに画像を貼り付けます。新規のマテリアルを作成し、マテリアルプロパティのベースカラーの黄色い丸（ソケット）をクリックして「画像テクスチャ」を選択します。

透過BSDF
シェーダー

ジオメトリが存在しないかのように、表面を通過させます。背景透過部分を持つ画像テクスチャと、他のノードを組み合わせる際に活躍します。

放射シェーダー

マテリアルに放射シェーダー設定すると、発光体を作ることができます。今回は透過BSDFとミックスして活用します。

アセットブラウザー

よく使うマテリアルやオブジェクトを保存しておき、その素材をシーンやオブジェクトにドラッグするだけで配置することができます（p.163）。

Step 1 | キャンドルの外形をつくろう

まず、キャンドルの蝋を作っていきます。立方体にサブディビジョンサーフェスモディファイアを追加します。ビューポートとレンダーの数をそれぞれ4にしておき、自動スムーズシェードを使用します（右クリック）。

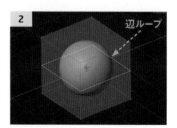

編集モードに入り（Tab）、[辺ループを挿入]し、ちょうど真ん中で確定させます（Ctrl+R → Enter / クリック → Esc）。
辺ループの挿入→p.56

辺ループに[ベベル]を適用して（Ctrl+B）、面を更に分割します。
辺のベベル→p.60

次に、これを複製してキャンドルのガラスを作っていきます。オブジェクトモードに戻り（[Tab]）、立方体を［コピー］します（[Shift]+[D]→[Enter]）。アウトライナーで立方体が複製されていることを確認します。

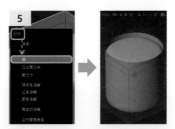

複製した方の立方体の編集モードに入り（[Tab]）、上面を選択して［削除］しましょう（[X]）。

ソリッド化のモディファイアを追加して、ガラスに厚みをつけましょう。
ソリッド化モディファイア→p.72

モディファイアの順番を入れ替えます。ソリッド化のモディファイアが1番上に来るように移動しましょう。順番は、右端のハンドルをドラッグして入れ替えます。

モディファイアープロパティの「幅」の値を−0.4にします。数値をマイナスにすると外側に広がります。

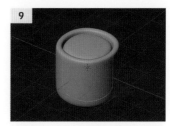

今はガラスと蝋の上面の高さが同じになっているため、蝋の上面を少し下げましょう（[G]→[Z]）。

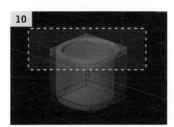

内側の立方体の編集モードに入り（[Tab]）、透過表示（[Alt]/[Option]+[Z]）にして上部の8つの頂点を選択します。
透過表示→p.72

下方へ少し［移動］しましょう（[G]→[Z]）。オブジェクトモードに戻りましょう（[Tab]）。

次に、炎の芯を作っていきましょう。カーブ（ベジェ）を追加し（[Shift]+[A]）、上方に［移動］させ（[G]→[Z]）、［縮小］（[S]）します。
カーブ→p.120

Y軸を中心に90度［回転］させます（[R]→[Y]→90）。

編集モードに入り（[Tab]）、カーブが真っ直ぐになるようにコントロールポイントを調整しましょう。

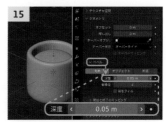

オブジェクトデータプロパティーの「ジオメトリ」の、「ベベル」→「深度」を0.05に変更します。

| **画像を貼り付けて炎をつくろう**

炎の画像：https://www.freeiconspng.com/img/4858

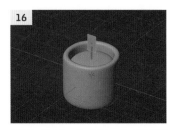

最後に、炎を作っていきましょう。平面に炎の画像を貼り付けて、表現します。平面を追加し（ Shift ＋ A ）、Y軸を中心に90度［回転］させ（ R → Y →90）、位置（ G ）と大きさ（ S ）を調整します。

平面に新規のマテリアルを追加し、マテリアルプロパティのベースカラーの黄色い丸（ソケット）をクリックして、「画像テクスチャ」を選択します。
画像テクスチャ→p.168

メニューの「開く（フォルダのアイコン）」をクリックし、炎の画像を取り込みます。ソリッドモードでは割り当てられた画像が見えないので、マテリアルプレビューモードにしておきましょう。

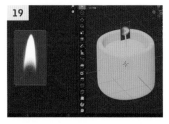

「UV編集」のワークスペースを開いて、UVの編集をしていきましょう。画面右側の3Dビューポートはマテリアルプレビューモードにしておき、キャンドルを貼り付けた平面を選択して、編集モードに入ります（ Tab ）。

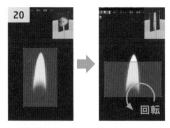

左側のUVエディターで頂点を［全選択］し（ A ）、90度［回転］させます（ R → X →90）。
UVエディター→p.148

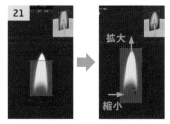

左右方向に［縮小］し（ S → X ）、その後、上下方向に［拡大］します（ S → Y ）。

次に「シェーディング」タブでノードを調整し、画像の背景を透過していきましょう。「シェーディング」タブを開きます。

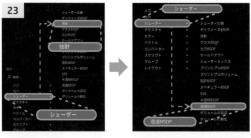

炎の画像テクスチャを光らせながら、背景を透過するために、放射と透過BSDFのシェーダーを追加しましょう（ Shift ＋ A ）。

これらのノードをミックスさせるために、シェーダーミックスも追加します。
背景透過画像→p.146

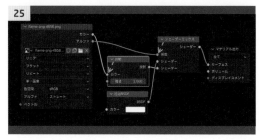

このようにノードを繋いでいきましょう。画像テクスチャのカラーを放射に読み込み、アルファは、シェーダーミックスの係数につなぎます。

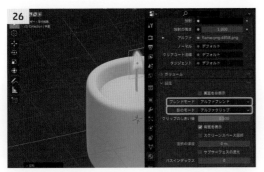

マテリアルプロパティーの「設定」で、ブレンドモードを「アルファ
ブレンド」に、影のモードを「アルファクリップ」に変更しましょ
う。すると、炎の画像テクスチャの背景が透過されます。

芯と炎のカーブが合っていないので、Z軸を中心に画像テクスチャ
180度［回転］させましょう（R→Z→180）。

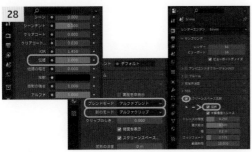

これで、モデリングは完了です。ガラスのマテリアル設定に関して
は、Lesson 04を参照しましょう。マテリアルプロパティの「粗
さ」を0、「伝播」を1にします。Eeveeでレンダリングする場合は、
ブレンドモードを「アルファブレンド」に、影のモードを「アルファ
クリップ」に変更して、レンダープロパティの、「スクリーンスペー
ス反射」の「屈折」にチェックを入れます。

床や背景は、アセットライブラリを用いて設定していくとよいで
しょう。複数のアセットを入れ替えながら気に入ったものを選ぶこ
とができます。
アセットブラウザー→p.162

最後にライティングやカメラ・環境設定をしたら、レンダリングを
して完成です！

Part
2
—
質感を作ろう

使用した背景と画像

Tips

ここではフリー素材を使用しました。床はhttps://
ambientcg.com/view?id=Wood035を、背景はhttps://
polyhaven.com/a/cayley_interiorを使用しました。

YouTube

動画でもRecipeを確認

https://youtu.be/_xanbB1r5UE

Recipe
20

本を
つくろう

カーブを活用して本のページの断面図の曲線を作成し、カーブをメッシュに変換してモデリングを進めましょう。回転・移動させたオブジェクトを編集モードで編集する際は、トランスフォーム座標系のパイメニューを用いて、座標系をローカルに変更すると扱いやすくなります。UVエディターでUV編集しながら、画像を貼り付けていきましょう。

新出機能の確認

カーブをメッシュに変換する

カーブオブジェクトをメッシュに変換します。ベジェ曲線で思い通りのラインを描き、そのカーブを元にモデリングをする際に、メッシュに変換します。

トランスフォーム座標系のパイメニュー

トランスフォーム時の座標系を変更します。デフォルトでは「グローバル」になっています。「ローカル」に変更すると、トランスフォームの軸を、選択中のオブジェクトのローカル空間に合わせることができます。

UV編集

UVと呼ばれる3次元の地図上に、マッピングされた3Dの面を投影して、調整していく作業です。

Step 1 ┃ 本の外形をつくろう

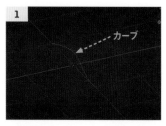

本を作っていきましょう。立方体を[削除]し（Ⓧ）、カーブ（ベジェ）を[追加]します（Shift + Ⓐ）。
カーブ→p.120

X軸を中心に90度[回転]させましょう（Ⓡ→Ⓧ→90）。
回転→p.60

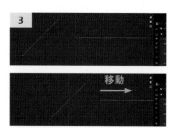

編集モードに入り（Tab）、フロントビュー（テンキーⅠ）にして、[全てを選択]し（Ⓐ）、右側に移動させます（Ⓖ→Ⓧ）。このとき、左端がX=0の点に来るように Ctrl を押してグリッドにスナップさせながら移動させましょう。

オブジェクトモードに戻り（Tab）、カーブをメッシュに変換します。
カーブをメッシュに変換→p.172

編集モードに入って（Tab）確認してみると、このように、頂点の集合からなるメッシュに変換されています。

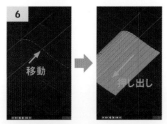

後方に［移動］させましょう（G→Y）。その後、前方に向かって［押し出し］します（E→Y）。
押し出し→p.56

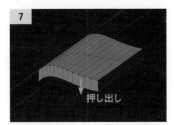

［全てを選択］して（A）、下方に［押し出し］ましょう（E）。

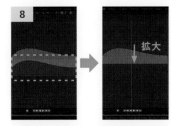

フロントビューにして、透過表示にしたら、下方の頂点群を［ボックス選択］し（B）、高さを揃えます（S→Z→0）。
透過表示→p.72、頂点を揃える→p.82

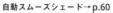

オブジェクトモードに戻って（Tab）、自動スムーズシェードを使用しましょう（右クリック）。
自動スムーズシェード→p.60

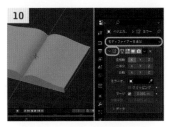

ミラーモディファイアを追加します。モディファイアープロパティの「座標軸」はXのままにしておきましょう。
ミラーモディファイア→p.88

次に、本の表紙を作っていきましょう。立方体を追加して（Shift＋A）、大きさ（S）と位置（G）を調整します。

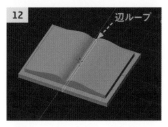

編集モードに入り（Tab）、［辺ループを挿入］し、ちょうど真ん中で確定させます（Ctrl＋R→Enter／クリック→Esc）。
辺ループの挿入→p.56

本の背表紙を作ります。追加した辺ループに［ベベル］を追加しましょう（Ctrl＋B）。
辺のベベル→p.60

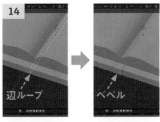

更に面を分割していきます。再度［辺ループを挿入］し、ちょうど真ん中で確定させ（Ctrl＋R→Enter／クリック→Esc）、［ベベル］を追加しましょう（Ctrl＋B）。

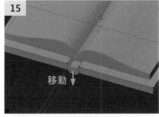

そのまま、下方に［移動］させます（G→Z）。これで、本の背表紙となる部分ができました。

オブジェクトモードに戻り（Tab）、立方体のスケールの情報が残っているのをリセットします。「オブジェクトのトランスフォームを適用」しましょう。Ctrl + A を押して「スケール」を選択します。

ベベルモディファイアを追加しましょう。モディファイアープロパティの「セグメント」の値を5にします。
ベベルモディファイア→p.116

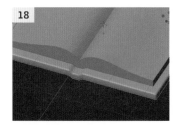

自動スムーズシェードを使用しましょう（右クリック）。
自動スムーズシェード→p.60

Step 2 | 鉛筆を追加しよう

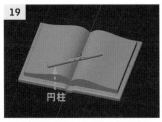

鉛筆を追加します。円柱を新たに追加し（Shift + A）、X軸を中心に90度［回転］させましょう（R → X → 90）。位置（G）と大きさ（S）を調整します。

編集モードに入り、先端の面を選択して押し出します。この円柱のローカル座標に沿って移動させたいため、「トランスフォーム座標系のパイメニュー」を表示し（.）、「ローカル」を選択しましょう。

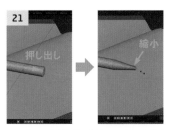

ローカルのZ軸方向へ軸をロックして［押し出し］（E）、そのまま［縮小］します（S）。
トランスフォーム座標系→p.172

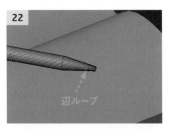

後ほど色分けするために、［辺ループを挿入］しておきましょう（Ctrl + R）。

オブジェクトモードに戻り（Tab）、自動スムーズシェードを使用しましょう（右クリック）。

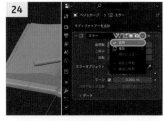

ミラーモディファイアを適用して、片側だけページを浮かせていきます。

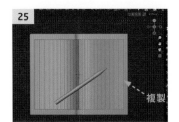

ミラーモディファイアを適用したら、編集モードに入り、トップビューで、面選択モードで片側の表面だけを選択し、［コピー］します（Shift + D → Enter）。

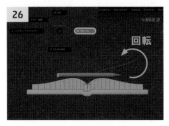

フロントビューにします。ピボットポイントのパイメニュー（.）で「3Dカーソル」を選択したら、Y軸を中心に［回転］させましょう。
ピボットポイント→p.112

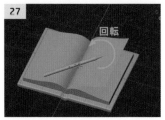

回転させたページの傾きに合わせて、鉛筆の傾きも調整しておきましょう（R）。モデリングはこれで完了です。

Step 3 │ マテリアル設定をして仕上げよう

マテリアルプレビューモードに移って、マテリアルを設定していきましょう。まずは、本のページに、画像テクスチャを貼り付けていきます。

新規マテリアルを作成し、マテリアルプロパティのベースカラーの黄色い丸（ソケット）をクリックして、画像テクスチャを選択します。使用している画像はサンプルダウンロードにあります。

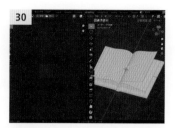

UV編集のワークスペースを開きます。右側の3Dビューポートをマテリアルプレビューモードにしておき、ページのオブジェクトを選択して編集モードに入ります（[Tab]）。

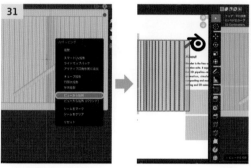

[全てを選択] し（[A]）、トップビューにしたら、[U]でUVマッピングのメニューを呼び出し「ビューから投影」を選択します。

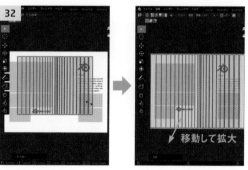

左側のUVエディターでメッシュを [拡大]（[S]）、[移動]（[G]）させて調整します。

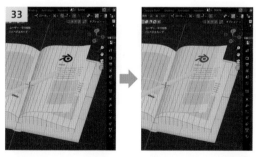

上方のページのマッピングをさらに調整していきます。面の選択モードで、1つ面を選んだら、[L]でページ全体を選択します。

UVエディターで位置をずらして、下方のページと同様に画像が張り付くように調整します。これで、画像テクスチャの貼付は完了です。

レイアウトのワークスペースに戻り、その他のマテリアルのベースカラーを設定していきましょう。最後にライティングやカメラ・環境設定をしたら、レンダリングをして完成です！

YouTube

動画でもRecipeを確認

https://youtu.be/D59qvRskH_M

箱とチューブの
パッケージをつくろう

これまで学んできた画像テクスチャの編集方法を活かして、パッケージデザインを作成してみましょう。ロゴが添付された1つの画像テクスチャを、UVエディター上で編集し、使い回す方法を見ていきます。

Step 1 ｜ 箱とチューブの外形をつくろう

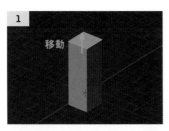

箱から作っていきましょう。立方体を選択し、編集モードに入り（Tab）、上面を上方に［移動］させます（G→Z）。

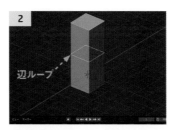

後ほど色分けをするため、［辺ループを挿入］し、ちょうど真ん中で確定させます（Ctrl＋R→Enter／クリック→Esc）。

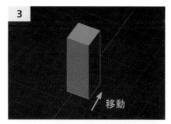

オブジェクトモードに戻って（Tab）、後方へ少し下げておきます（G→Y）。

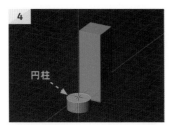

次に、チューブを作っていきましょう。円柱を追加します（Shift＋A）。編集モードに入り（Tab）、上面を下方へ下げましょう（G→Z）。

チューブのキャップのディティールを作っていきます。［辺ループを挿入］し、ちょうど真ん中で確定させます（Ctrl＋R→Enter／クリック→Esc）。

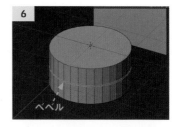

わずかに［ベベル］をかけて面を分割します（Ctrl＋B）。
辺のベベル→p.60

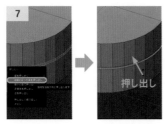

法線に沿って面を［押し出し］ます（Alt＋option＋E）。その後オブジェクトモードに戻り、ベベルモディファイアを追加して「セグメント」を5に変更します。

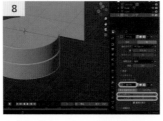

サブディビジョンサーフェスモディファイアを追加して、「ビューポートのレベル数」と「レンダー」の数をそれぞれ3にしておき、自動スムーズシェードを使用します（右クリック）。

チューブの本体を作っていきましょう。円柱を追加し（Shift＋A）、キャップの上に配置します（G→Z）。

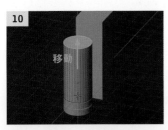

編集モードに入り（Tab）、上面を選択して上方に［移動］させます（G→Z）。

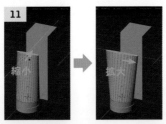

そのまま、前後方向に［縮小］し（S→Y）、左右方向に［拡大］します（S→X）。

更に上方に［押し出し］ましょう（E）。

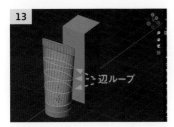

面を分割しておきましょう。まず、3本の［辺ループを挿入］します（Ctrl+R→3→Enter→Esc）。
辺ループの挿入→p.56

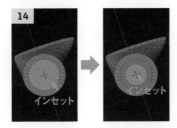

次に、チューブオブジェクトのみ表示をして（/）、下面を2回［インセット］しておきます（I）。
インセット→p.56
選択オブジェクトの表示→p.80

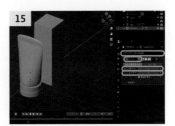

オブジェクトモードに戻り（Tab）、サブディビジョンサーフェスモディファイアを追加し、「ビューポートのレベル数」と「レンダー」の数をそれぞれ3にしておき、自動スムーズシェードを使用します（右クリック）。

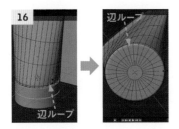

［辺ループを挿入］しながら（Ctrl+R）、面を分割し、角の柔らかさを調整していきます。
辺のクリース→p.76

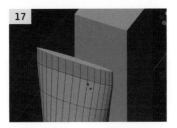

上端の角は、辺を［ループ選択］してから（Alt/option）、［辺のクリース］を適用して（Shift+E）、角を出します。

オブジェクトモードに戻り（Tab）、キャップとともに少し左側へ移動させ（G→X）、位置を調整します。

Step 2 | ロゴを貼り付けて仕上げよう

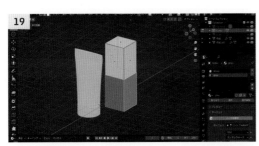

マテリアルプレビューモードに移動して、マテリアルを設定していきましょう。直方体のほうは、上下に分割された下側にベースカラーがグレーのマテリアルを作成し、割り当てます。使用する画像はサンプルダウンロードにあります。

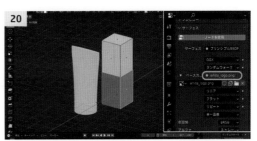

まず、グレーのマテリアルの方にロゴを読み込んで画像テクスチャを設定します。マテリアルプロパティのベースカラーの黄色い丸（ソケット）をクリックして「画像テクスチャ」を選択しましょう。

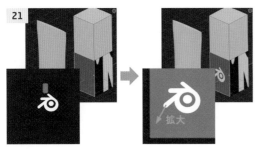

UV編集のワークスペースを開いて、ロゴを貼り付けたい面を選択し、UVエディターで向き（R）、大きさ（S）、位置（G）を調整します。
UV編集→p.148

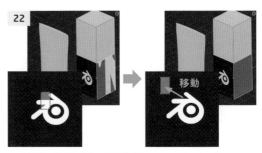

ロゴを貼り付けたくない面を選択し、UVエディター上で、メッシュをロゴに干渉しないように移動させます（G）。

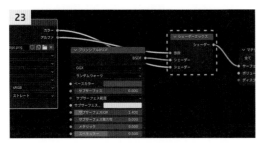

シェーディングワークスペースでノードの設定をしていきます。シェーダーミックスを新たに追加して（Shift＋A）、ベースカラーがグレーのベースカラープリンシプルBSDFの上に、白いロゴの透過画像が貼り付けられるように調整します。ノードの組み合わせ方に関しては、Lesson 09を参照しましょう。

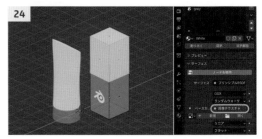

次に、箱上側に白いマテリアルを設定し、画像テクスチャを割り当てていきましょう。先ほどと同様に、画像テクスチャを設定します。

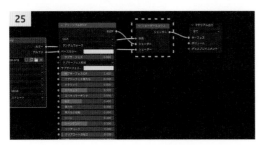

シェーディングワークスペースでノードの設定をします。シェーダーミックスを追加して（Shift＋A）、ベースカラーが白のベースカラープリンシプルBSDFの上に、黒いロゴの透過画像が貼り付けられるように調整します。

画像テクスチャの「リピート」のプルダウンを開いて、クリップに変更しておきます。同じ画像が何度も繰り返し貼り付けられないようにしています。
リピート→p.149

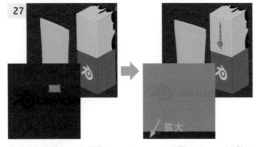

先ほどと同様に、UV編集のワークスペースを開いて、ロゴを貼り付けたい面を選択し、UVエディターで向き（R）、大きさ（S）、位置（G）を調整します。

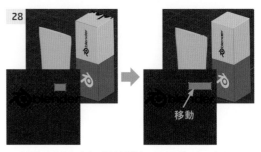

ロゴを貼り付けたくない面を選択し、UVエディター上で、メッシュはロゴに干渉しないように移動させます（G）。

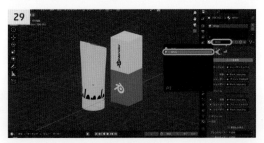

次に、チューブのマテリアルも設定していきましょう。先ほど作成した白のマテリアルを選択します。

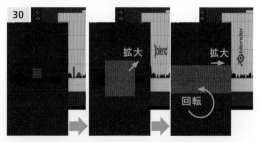

ロゴを貼り付けたい面だけを［ボックス選択］し（Ⓑ）、UVエディターで調整していきます。

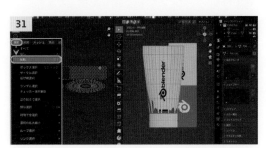

上部のツールバーの「選択」→「反転」で選択範囲を反転します。

UVエディター上で、メッシュはロゴに干渉しないように移動させます（Ⓖ）。

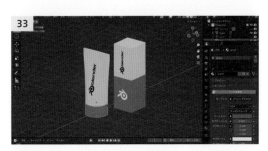

最後に、グレーのマテリアルを新規で作成し、キャップ部分に割り当てます。

同様の手順で、もう一つチューブを作成し、［回転］させ（Ⓡ）、配置します（Ⓖ）。

ワールドやカメラ設定を通じて3Dシーンを作り込み、レンダリングをして完成です！

錆を
ペイントしよう

テクスチャペイントでは、ブラシにテクスチャを持たせることができます。テクスチャはベースカラー（色柄）だけではなく、バンプや粗さ等も設定できます。これらのテクスチャを「テクスチャスロット」で設定すると、自動でノードが設定されます。

新出機能の確認

┃テクスチャペイント

Lesson 12で学んだテクスチャペイントは、既存のブラシでペイントするだけでなく、プリセットのテクスチャや外部から読み込んだ画像をブラシとして、描き込むことができます。

┃プリセットのテクスチャ

Blenderにはプリセットとしていくつかのテクスチャが初めから用意されています。

┃外部からテクスチャを読み込み

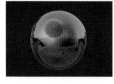

ワークスペースの「テクスチャスロット」で「＋」をクリックして、ベースカラーの他にも粗さやバンプ等のテクスチャを追加して、粗さや凹凸の表現をペイントすることができます。

Step 1 | 錆をペイントしよう

錆の画像：https://unblast.com/3-free-seamless-rust-textures-jpg/

まず、キャンバスとなる金属ボールを作成しましょう。立方体を［削除］し（X）、UV球を追加して（Shift + A）、自動スムーズシェードを使用しましょう（右クリック）。

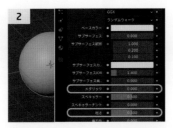

プリンシプルBSDFでベースの金属のマテリアルを設定しておきましょう。メタリックの値を1、粗さの値を0にしておきましょう。金属→p.43

テクスチャペイントの準備をしましょう。画像テクスチャを設定します。マテリアルプロパティのベースカラーの黄色い丸（ソケット）をクリックして「画像テクスチャ」を選択します。

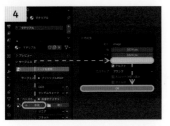

テクスチャペイントを行うための画像を新規で作成します。「新規」のボタンをクリックして、新規画像を設定します。カラーはグレー（明度0.8のみ）にしておきましょう。

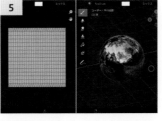

「テクスチャペイント」のワークスペースに移動します。右側の3Dビューポートはマテリアルプレビューのモードにしておきましょう。

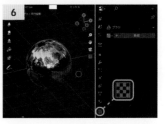

テクスチャペイントでは、外部から読み込んだテクスチャ（柄）をブラシにすることができます。プロパティーの最下部にある「テクスチャプロパティ」ので設定します。

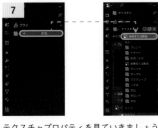

テクスチャプロパティを見ていきましょう。「新規」をクリックすると、ブラシの設定画面が現れます。「タイプ」のプルダウンを開けると、このように様々なタイプのテクスチャが用意されています。

テクスチャブラシ

例えば「クラウド」のテクスチャーを選択すると、クラウド柄のテクスチャブラシで描くことができます。

今回は、外部でダウンロードしたサビのテクスチャを適用していきましょう。プルダウンから「画像または動画」を選択し、「開く」から錆のテクスチャ画像を読み込みます。

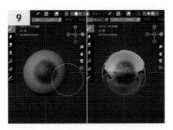

すると、先ほど読み込んだサビのテクスチャ画像がブラシとなって、オブジェクト上に直接描いていくことができます。

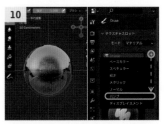

更に、テクスチャスロットにテクスチャを加えていくことで、バンプ（凹凸）等のテクスチャを重ねていくことができます。プロパティパネルの「テクスチャスロット」の「＋」をクリックして「バンプ」を選択します。

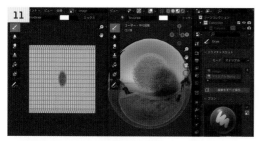

この状態でテクスチャをペイントすると、凹凸の陥没が表現されました。先ほどペイントした錆のテクスチャと重なっていることも分かります。

この時に「シェーディング」ワークスペースで確認してみると、画像テクスチャがプリンシプルBSDFの「ベースカラー」に、そして、バンプのノードが「ノーマル」に接続されていることが分かります。

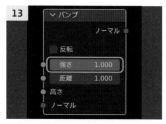

バンプノードの「強さ」の値を変化させると、バンプの強さが調整できます。今回は0.1にしておきます。

さらに「粗さ」のテクスチャをテクスチャスロットに追加してみましょう。

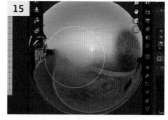

このテクスチャでペイントしてみましょう。

光沢がなくなり、粗さの値が上がっていることが分かります。

ノードを見てみると、テクスチャが新たにプリンシプルBSDFの「粗さ」に接続されていることが分かりますね。

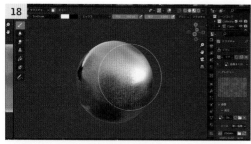

これらの3つのテクスチャを使用して、錆びたボールをペイントしていきましょう。所々艶があったりなかったり、錆びていたり、腐食していたりという様子を表現してみましょう。

YouTube

動画でもRecipeを確認

https://youtu.be/gTz-OQM4zRs

Part

3

便利機能を
使いこなそう

Part3では、更にBlenderの様々な機能を使いこなす術を学びます。
自然法則を用いたシミュレーションや、アドオンを活用して、Blender
をもっと楽しみましょう。

この章で学ぶこと

便利機能を使いこなそう

　Part 1 で基本操作を、Part 2 で質感を高める様々な手法について学んできました。

　この章では、更に Blender を便利に使うための様々な機能についてご紹介します。自然の法則を用いて、布のシミュレーションを行なったり、メッシュオブジェクトから粒子（パーティクル）を出力・放射して髪の毛を作成することができます。

　また、Blender には多数の便利なアドオンがあり、これらの活用の仕方についても詳しく見ていきます。

　この章を通じて、Blender の更なる可能性を探っていきましょう！

この章の機能を利用した制作サンプル

https://youtu.be/PoJE2Mjq38Q

門松にパーティクルを使った例（Lesson 16）

https://youtu.be/tDqmtU_ZLGs

タオルに物理演算を使った例（Lesson 15）

https://youtu.be/3RM1ZZnMLqk

植物の葉の配列にエンプティを使った例（Lesson 14）

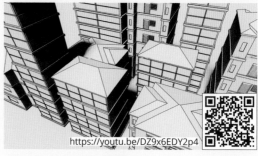

https://youtu.be/DZ9x6EDY2p4

外部アドオンを使った例（Lesson 17）

この章で制作する作品の例

Recipe 23 クッションをつくろう

クロス物理演算と頂点グループを使った例

Recipe 24 旗をつくろう

クロス物理演算に風のフォースフィールドを使った例

Recipe 25 ホイールをつくろう

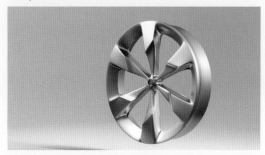

エンプティを使って円形に配列する例

Recipe 26 観葉植物をつくろう

エンプティを使った配列とカーブを組み合わせた例

Recipe 27 草原をつくろう

パーティクルとウェイトペイントを組み合わせた例

Recipe 28 木をつくろう

テクスチャで樹木をリアルに表現した例

Recipe 29 レモンをつくろう

プリミティブな形状でリアルにモデリングする例

Lesson

14

隠れた名脇役（エンプティ）を活用しよう

/ Part 3

エンプティとは、レンダリングされないオブジェクトです。メッシュではなく、オブジェクトモードでのみ編集可能です。Blenderでは、レンダリング時に表示されないからこそできる脇役としての働きがあります。オブジェクトと親子関係を作ったり、モディファイア機能の中で活用したり、カメラの焦点として利用します。

エンプティを知ろう

エンプティには十字や球など8種類が存在しています。ただし、見え方が違うだけで、どれも位置・回転・スケール情報をもつ「座標点」であることに変わりはありません。用途に合わせて選んで使います。

このレッスンでは、エンプティの具体的な活用の仕方について見ていきましょう。

親子関係を作って、ハンドルにする

複数のオブジェクトをまとめて移動・回転するときに、都度選択しなければならないのは面倒です。複数のオブジェクトとエンプティの間に親子関係を設定すれば、エンプティを動かすだけでオブジェクトの移動等の編集が一度にできてしまいます。

親子関係を作る方法は、子になるアイテムを選んでから、最後に親となるエンプティを選んで Ctrl +P （親子関係を解消する際には Alt / option +P）のショートカットを押します 1 。これをペアレントといいます。

アウトライナーで見てみると、ペアレントした後は、エンプティの配下に今回選択したモンキー3体が属していることが分かります 2 。

この状態で、エンプティを縮小（S）すると、モンキー3体も一緒に小さくなります 3 。また、エンプティを回転（R）すると、エンプティとの関係を保ったままモンキーたちも回転します 4 。

1

2 ペアレントする前と後

3

4

配列方法を決めるハンドルとして利用しよう

配列モディファイアにおいて、通常はオフセット情報として手動で数値の入力をしますが、「どの程度回転や移動させるか」といったトランスフォーム情報をエンプティでもコントロールできます。

試しに、モンキーのオブジェクトを、原点を中心に30度ずつ回転しながら配列してみましょう。

モンキーに配列モディファイアを追加し、数を12にしておきます。デフォルトでは、オフセットにチェックが入っており、X軸方向に配列されています。

ここで、配列モディファイアのプロパティの「オフセット（倍率）」のチェックを外し、「オフセット（OBJ）」にチェックを入れ、「オブジェクト」に追加したエンプティを指定します。

エンプティを選択して、Z軸を中心に30度回転させてみます（ℝ→ℤ→30）。すると、エンプティの回転情報が、配列情報として認識され、30度回転した配列になります②。

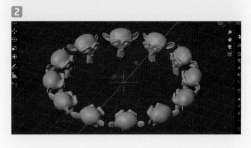

配列がうまくいかない場合 *Tips*

配列モディファイアを使用した際にモンキーが1方向に重ならず、思わぬ方向に配列されるされる場合は、モンキーにトランスフォームの情報（拡大縮小や移動の情報）が残っています。
この情報をリセットするため「オブジェクトのトランスフォームを適用」しましょう（p.92）。

カメラの焦点として利用しよう

Lesson 08でカメラの被写界深度設定について解説しました。この被写界深度の焦点のオブジェクトとしてエンプティを設定すると、ピンポイントに焦点を定められるため便利です。

例えば、エンプティを対象物の遠いところから近いところへ徐々に動かすアニメーションを作ることで、段々と対象物に焦点が当たっていくようなアニメーションを作成し、上のような画像を撮ることができます。

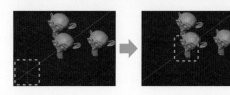

Part
3
便利機能を使いこなそう

自然の法則を活用しよう（物理演算）

Blenderの物理演算により、様々な現実世界の物理現象をシミュレートすることができます。雨や煙、髪の毛、布等、様々な静的および動的なエフェクトをリアルに作成することができます。

物理演算のシミュレートをしてみよう

物理演算は8種類あります。プロパティエディターの物理演算プロパティを見てみましょう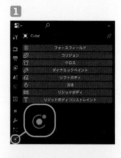。

ワークフローはシンプルです。物理演算を追加したいオブジェクトを選んだ状態で、これらの物理演算のボタンをクリックすると、オブジェクトに物理演算が追加され、space でシミュレーションを開始します。例えばのようにクロス物理演算ではリアルな布地をシミュレートできます。

クロス物理演算の設定をしよう

具体的に、クロス物理演算の例で見ていきましょう。平面とUV球を3Dビューポートに追加し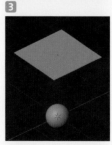、平面にクロス設定をして、UV球の上に落としてみましょう。

クロス物理演算を行う準備として、メッシュを細分化しておく必要があります。編集モードに入って（Tab）、細分化（右クリック）した後に、これを4回繰り返しましょう（Shift + R）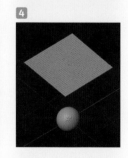。細分化の程度が細かいほど、滑らかなクロス表現ができます。

その後、オブジェクトモードに戻って（tab）、物理演算プロパティーのクロスをクリックします。

クロス物理演算を設定すると設定項目が現れます。沢山の項目がありますが、ここでは「セルフコリジョン」にのみチェックを入れます。コリジョンとは、オブジェクトを障害物として設定する機能です。セルフコリジョンは、オブジェクト自身を障害物にすることで、メッシュ同士が干渉してしまうことを避けます。

コリジョン物理演算の設定をしよう

実は、このままシミュレートしても、球の上に布が被せる表現はできません。球の方に「平面（クロス）」と衝突する準備（コリジョン）をしておく必要があります。設定方法は簡単です。球を選択して、物理演算プロパティーのコリジョンをクリックしましょう。

シミュレーションしてみよう

この状態で space を押すと、このようにシミュレーションがスタートして平面（クロス）が球の上に被さりました。

クロスのそのほかの設定についてはp.197のコラムでも紹介しています。

物理演算をモディファイアと掛け合わせよう

物理演算をメッシュに追加すると、モディファイアとして追加されます。つまり、他のモディファイアと相互作用することができます。例えば、布の形状をシミュレートした後に、サブディビジョンサーフェスモディファイアで布を滑らかにする、というような組み合わせが可能になります。

フォースフィールドを掛け合わせてシチュエーションを作り出そう

フォースフィールドは、物理演算やパーティクル（次のLesson 16で解説します）のシミュレーションに影響を与えることができる機能です。フォースフィールドは13種類あります。

この後の作品制作（Recipe 24）でクロス物理演算と風との掛け合わせを見ていきましょう。

大量の粒子をコントロールしよう（パーティクル）

Blenderの物理演算の1つで、メッシュオブジェクトから粒子（パーティクル）を出力・放射することができる機能があります。例えば、葉や髪の毛を生やしたり、桜吹雪を舞わせたりできます。パーティクルには「エミッター」と「ヘアー」の2種類があります。

意外と簡単!? パーティクルの作り方

パーティクルを生成したいオブジェクトを選択し、パーティクルプロパティを開きます。

プロパティ内の「+」をクリックし、オブジェクトにパーティクルを追加するだけで、[space]を押すとパーティクルが生成されます。

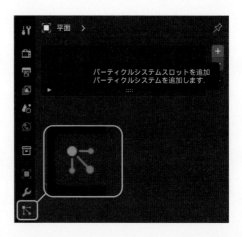

エミッター

パーティクルを追加して、[space]を押す（タイムラインを再生する）と、オブジェクトがたくさんの粒子を放出します。

ヘアー

オブジェクトに毛を生やし、草や髪の毛を表現することができます。また、パーティクル編集モードで毛の流れの調整ができます（次ページのTips参照）。毛が確認できない場合は、オブジェクトを選択して一度編集モードに入り（[Tab]）、再度オブジェクトモードに戻るとうまくいきます。

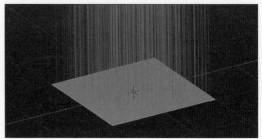

自作オブジェクトを増殖させよう

パーティクルを活用して、自作のオブジェクトを増殖させることができます。パーティクルプロパティの「レンダー」で、レンダリング方法を「パス」から「オブジェクト」に変更しましょう。インスタンスオブジェクトとして任意のオブジェクトを選ぶだけで簡単にできてしまいます。ここではモンキーを選択しました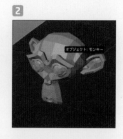。

エミッターパーティクルのデフォルト設定でオブジェクトをモンキーにしたらのような状態になります。パーティクルプロパティのスケールや回転等のパラメータを設定すれば、パーティクルの量や大きさをコントロールすることができます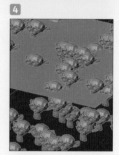。

ヘアーパーティクルのデフォルト設定でオブジェクトをモンキーにすると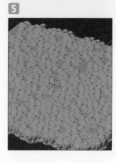のような状態になります。こちらも各種パラメータを設定して、パーティクルの量や大きさをコントロールすることができます。

フォースフィールドを掛け合わせてシチュエーションを作り出す

物理演算と同様に、フォースフィールドと掛け合わせて、パーティクルを風で吹き飛ばしたり、渦を巻いたり、様々なエフェクトが表現できます。

ヘアーのパーティクル編集モード

ヘアーのパーティクルを生成すると、パーティクル編集モードが選択できます。これを選択すると、くしブラシが現れ、ヘアーを撫でるようにして形状を調整していくことができます。

17

/ Part 3

便利なアドオンを活用しよう

アドオンとは、Blenderで行う面倒な作業を楽に行える補助ツールのような
役割をしてくれる拡張機能です。ここでは、表現力アップに繋がる便利なアド
オンをご紹介します。

超簡単なダウンロードとインストール

　アドオンのインストールは簡単です。Blenderに
標準搭載されているアドオンの場合は、まず上部ツ
ールバーの「編集」→「プリファレンス」を開きま
す。開いたプリファレンスのウィンドウで「アドオ
ン」を選択し、右上の検索画面で検索して出てきた
アドオンにチェックを入れるだけです■。

　外部アドオンをインストールする場合は、
GitHub等から.zipまたは.pyファイルをダウンロ
ードしておきます。プリファレンスの「アドオン」
を選択し、ウィンドウ上部にある「インストール」
をクリックます■。ダウンロードした.zipまたは
.pyファイルを選択し「アドオンをインストール」
ボタンをクリックすると■、インストールが完了し
ます■。

今日から使いたい！ Blender標準アドオン

設定するだけで、すぐに使い始めることができるお手軽な「標準アドオン」から、2つ紹介します。この他にも、Recipe 12のトースターで登場したBool Toolや、Recipe 06のカラーコーンとRecipe 26の観葉植物の作品解説で登場するLoopToolsも便利なアドオンです。是非使ってみましょう。

一発で木を作成するSapling Tree Gen

木の存在は、作成した背景やシーンをリアルに演出してくれるだけでなく、木陰を用いた絵作りをすることによって一味違った雰囲気を醸し出すことにも利用できます。Sapling Tree Genは樹木を作成するアドオンです。詳しくはRecipe 28で解説しています。

一発でマテリアルが決まるMaterial Library

Material Libraryは、マテリアルライブラリを作成するBlenderアドオンです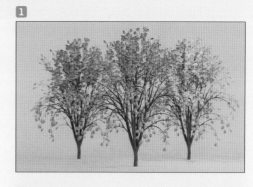。マテリアルの保存、読み込み、分類を行い、すべてのプロジェクトで共有することができます。

使い方は簡単です。Material Libraryにはサンプルファイルがデフォルトで入っているので試してみましょう。

オブジェクトに新規マテリアルを追加し、マテリアルプロパティの下の方を見てみると「Material Library VX」というメニューがあります。

「Select a Library」のプルダウンを開いて「Sample Materials」を選択すると、ライブラリが現れます。

オブジェクト、マテリアル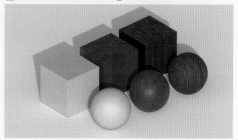、「Apply To Selected」の順に選択していくと、オブジェクトにマテリアルが適用されます。Recipe 29もご確認ください。

6 左からLemon、1970_tiles、wood

是非チャレンジしてみたい！　外部アドオン①

一発でビルを作成するBuilding Tools

　背景に建物を入れたい……ですが、建物を1から作成すると結構時間がかかりますよね。Building Toolsはそんな悩みを解決してくれるアドオンです。

ダウンロード
https://ranjian0.github.io/building_tools/

　インストールすると、3Dビューポート右側のプロパティシェルフ（Ｎ）に「Building Tools」のタブが現れます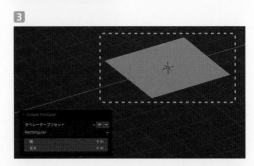。このパネルの「Create Floorplan」をクリックすると、3Dビューポート上に平面が現れます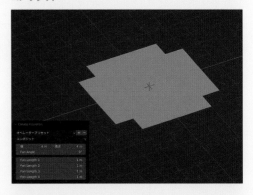。

　3Dビューポートの左下に現れるオペレーターパネルを開いてみましょう。「Rectangular」をクリックすると、プリセットとして用意されているいくつかのFloorplan（平面図）が選択できます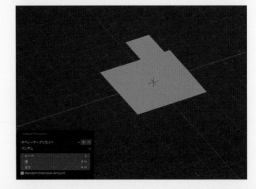。

円形
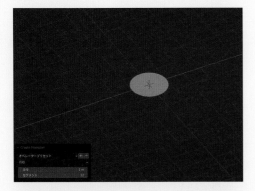

コンポジット
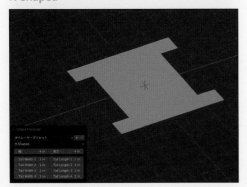

H-shaped

ランダム

194

編集モードに入ると（Tab）、プロパティシェルフのBuilding Toolsの様々な機能のボタンがアクティブになります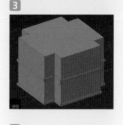。

例えば「Add Floors」を選択し、3Dビューポートの左下に現れるオペレーターパネルの「Floor Count」を2とすると、2階建ての建物になります。

上面を選択して「Add Roof」を選択すると、屋根が形成されました。こちらにもオペレーターパネルでいくつかのプリセットが用意されています。

このように、要素を付け加えたい面を選択し、右上のプロパティで要素を追加し、オペレーターパネルでパラメータを設定するというのが基本的なワークフローになります。

マテリアルの割り当ても、プロパティで行います。プロパティシェルフの中にBuilding Toolsの下に「Material Tools」があり、そこから設定できます。マテリアルを設定したいアイテムを選択し、「Assign New Material」をクリックすると、マテリアルプロパティのスロット内に新規マテリアルが作成されます。Building Toolsで追加した全てのアイテムをマテリアルプロパティに追加したら、マテリアル設定を進めてみましょう。

アセットブラウザから3Dビューポート上にドラッグアンドドロップして、マテリアルを割り当てることもできます。

Material Toolsから割り当てたマテリアルは、該当するアイテムのメッシュと紐づけられているため、例えば壁面のメッシュだけを選びたい際には当該のマテリアルを選択して、マテリアルスロットの下の「選択」ボタンで選択しましょう。

是非チャレンジしてみたい！　外部アドオン②

リアルな植物が豊富なBotaniq

リアルな自然の植物のオブジェクトを多く格納しており、ボタン一つで3Dビューポートに配置できます。

使用できる植物の数は少ないもの、その便利さが味わえるbotaniq starter（価格は2ドル）をまずはお試しすることをお勧めします。

3Dビューポートの右側のプロパティシェルフを引き出すと（N）、polygoniqというタブが作成されているのが分かります。このタブをクリックすると、Botaniqのメニューが表示されます。

上部の「Spawn Asset」ボタンをクリックすると、アセットが現れます。デフォルトではconiferousカテゴリーのAbies concolor（A）が表示されています（Botaniq starterの場合、以下、同様）。

現れたアセットの絵をクリックすると、カテゴリー内の別の植物が選択できます。色がグレーアウトされているものは、現在のプラン（Botaniq starter）では使用できません。

試しに、左上のAbies concolor（A）をクリックして追加してみましょう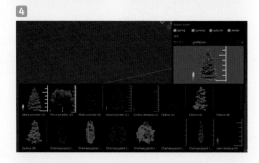。

すると、このようにオブジェクトが追加されました。このオブジェクトを編集したい場合は「Convert to Editable」をクリックして、メッシュに変換します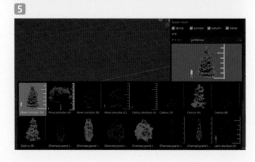。

私のお勧めは、grassカテゴリーの植物です。これを地面に生やすと一気にリアルな絵作りができます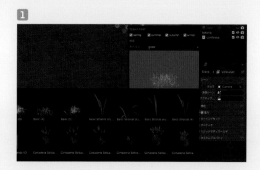。また、後ほど学ぶ「パーティクル」を活用して、一面に生やすこともできます。

クロスの物理演算プロパティの設定項目 | Column

クロスの物理演算プロパティには、たくさんの設定項目がありますが、全て覚える必要ありません。ここではいくつかご紹介しておきます。

プリセット（Presets）

プリセットされた布の例が5つ収録されています。デフォルトではコットンになっています。

速度の乗数

布シミュレーションの時間経過の速さを調整します。

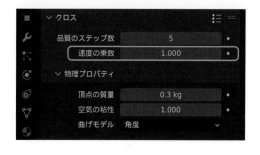

品質のステップ数

1フレームあたりのシミュレーションのステップ数を設定します。値を大きくすると品質が良くなりますが、速度が遅くなります。

フィールドの重み

重力を設定します。シミュレーションの際にクロスに重力をかけたくない場合は0に設定します。

シェイプ

布の一部をピン留めして動かないようにしたい際に使用します。布の一部を頂点グループ化して「固定グループ」に設定します。詳しくはRecipe 23で見ていきましょう。

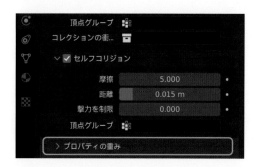

18

最新の変更内容を知ろう

本書執筆時のBlender 3.6から、現時点での最新バージョンである、
Blender 4.0への変更点より注目すべきポイントを3点紹介します。
4.0のリリースノート：
https://developer.blender.org/docs/release_notes/4.0/

カラーピッカー

Blender 4.0では、カラーピッカーの機能が強化され、Blenderのウィンドウ外でも色を選択できるように
なりました。この新機能により、ユーザーはデスクトップや他のアプリケーション上にある任意の色を直
接ピックアップし、Blender内のプロジェクトに適用できるようになります（WindowsとLinuxのみ）。

ビュー変換にAgXが追加に

「レンダー」→「カラーマネージメント」で、レンダリング時の色や光の表現を調整できます。中でも「ビュ
ー変換」の選択肢を変更することにより、異なる色調とコントラストで表現することができます。
「標準」がマテリアル設定のままの色を再現し、「Filmic」ではよりソフトな色調を、Blender4からカラ
ーマネージメントのデフォルトとなっている「AgX」では「Filmic」と比べて、明るい部分の色が、カメラで
撮影したように白く表現することが可能になっています。
本書ではFilmicでレンダリングを行っています。

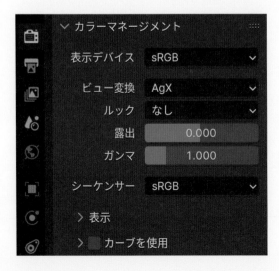

ユーザーインターフェース

モディファイア

モディファイアを追加する際のインターフェースが大きく変わりました。新しいUIでは、モディファイアの階層がUIに反映されており、カテゴリ別に表示され、簡単に見つけられるように整理されています。

Blender 3.6

Blender 4.0

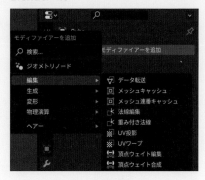

プリンシプルBSDF

複数の階層が一つにまとめられ、折り畳み可能になりました。これにより、使用していないオプションを隠して作業スペースをすっきりと保ち、必要なツールや設定に集中しやすくなりました。

Blender 3.6

Blender 4.0

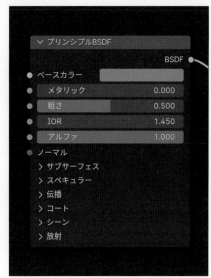

クッションを
つくろう

サンプルダウンロード ｜ Part 3 ＞ 📁 Recipe 23

クロス物理演算と、圧力設定を用いてふくらんだクッションの表現を行います。クッションを膨らませるシミュレーションを行い、タイムラインエディタでタイムラインを動かして確認していきます。クッションの真ん中に留めボタンとして頂点グループを設定し、コリジョンが設定された床に反発しながら膨らむシミュレーションも行います。

新出機能の確認

クロス物理演算

クロスとは布のことです。閉じた形状を使い、クロスと圧力の物理演算をシミュレーションして、クッションのような膨らみを作ることができます。

タイムラインエディタ

アニメーション制作に使用するエディターの一つで、キーフレーム（基本となる状態）の編集を行い、プレイヘッドと呼ばれる青い縦線でタイムライン上を行き来できます。今回のようにシミュレーションにも活用します。

頂点グループ

複数の頂点をグループ化・保存し、各機能から呼び出すことができるようにする機能です。今回はクロスの物理演算の際に留めボタンとして利用するため、クロスに使用したメッシュの中心を、頂点グループとして登録します。

コリジョン

コリジョンは「衝突」を意味します。設定すると、他の物理演算との相互作用を生み出します。今回は留めボタンを設定し、クロスと圧力の物理演算によってクッションを膨らませます。コリジョン物理演算を設定した床を下に置いておくことで、クッションが床に対して反発するようになります。

Step 1 ｜ クッションをふくらませよう

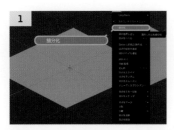

まず、クッションの平面を作成していきます。立方体を［削除］し（Ｘ）、平面を追加して（Shift＋Ａ）、編集モードに入り（Tab）、［細分化］を行います（右クリック）。
細分化→p.64

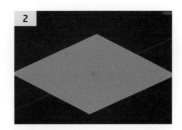

［直前の操作を4回繰り返し］ます（Shift＋Ｒを4回）。クッションのクロスシミュレーションでは、対象が細分化されているほど、よりきめ細やかな表現ができます。

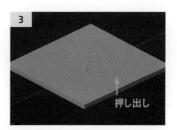

次に、そのまま、上方へ［押し出し］て（Ｅ）、クッションの厚みを付けます。
押し出し→p.56

面の向き

③ でもし下方へ押し出すと、面の向きが反対になってしまいます。Blenderでは「ビューポートオーバーレイ」の「面の向き」で面の向きを色分けして表示できます。面の表側は青色、裏側は赤色で表示されます。左が下方に押し出したメッシュ、右が上方に押し出したメッシュです。
後ほど、クッションの留めボタンを設定してクッションを膨らませる際に影響するため、間違えないようにしましょう。

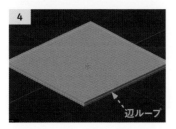

面が細分化されているほど、表現が細やかになるため、クッションの側面（フチにあたる部分）にも［辺ループを挿入］して［細分化］しておきましょう（Ctrl＋Ｒ→Enter／クリック→Esc）。

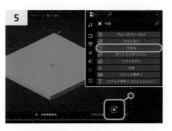

いよいよ物理演算を始めます。オブジェクトモードに戻り（Tab）、物理演算プロパティからクロスを選択しましょう。
クロス物理演算→p.188

ここから、クロス物理演算の設定を行います。沢山のパラメータが並んでいますが、ここで設定したいのは2箇所です。

物理演算の追加

物理演算は、モディファイアからも追加することが可能です。物理演算プロパティから追加した場合も、モディファイアープロパティにクロスが設定されていることが分かります。

まず「圧力」にチェックを入れます。これは、閉じたメッシュの中で圧力をシミュレートする機能です。圧力の値を5に設定します。

https://youtu.be/zNHA_7f7-zc

力のフォースフィールド

Tips

圧力の代わりに「力」のフォースフィールドを用いることもできます。クロスとフォースフィールドの組み合わせ方は、Recipe 24で学んでいきましょう。クッションを「力」のフォースフィールドで作成する動画もご参考ください。

次に、プロパティの一番下の「フィールドの重み」の重力の値を0にします。重力に正の値が設定されていると、シミュレーションした際にクッションが下方へ落ちていきます。

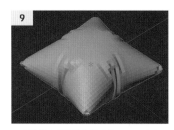

この状態で space を押すと、このようにシミュレーションがスタートしてメッシュオブジェクトが膨らみます。

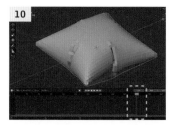

このとき、下部のタイムラインエディタで青い縦線（プレイヘッドと呼びます）が動いていることが分かります。これを止めるためには、再度 space を押します。

プレイヘッドを0（最初）の位置に戻すためには、プレイヘッドを掴んでドラッグさせて手動で移動させるか、タイムラインヘッダーのコントロールの左端のボタン（Jump to Start）を押します。

一度シミュレーションを行ったら、プレイヘッドを動かしながら任意の場所で止め、サブディビジョンサーフェスモディファイアを追加し、自動スムーズシェードを使用（右クリック）しましょう。

Step 2 | クッションにリブをつけよう

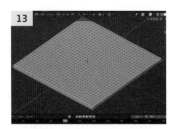

クロスはあくまで非破壊的に形状をシミュレーション・表示しているものなので、試しに編集モードで見てみると、このように元の形状のままになっています。

ここから更に細かな編集を加えるためには、モディファイアープロパティでクロスを適用させる必要があります。

適用→p.39

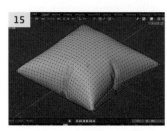

すると、このように編集モードに入った際に、シミュレーション結果を元に編集をする事ができます。ここでは、この状態からクッションにリブを付けていきましょう。

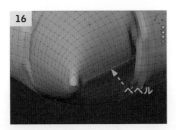

16

まずフチとなる部分をループ選択し（ Alt / option ）、［ベベル］をしましょう（ Ctrl ＋ B ）。

17

そのまま［法線方向に押し出し］します（ Alt ＋ E ）。この時、うまくいかない方はカーソルの位置に注意してみて下さい。

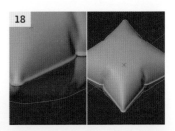

18

オブジェクトモードに戻って（ tab ）、全体を確認してみましょう。

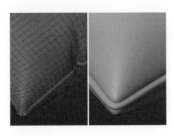

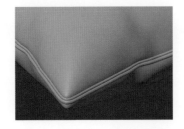

パイピング

ここから一歩進んで、パイピングの表現にチャレンジしてみましょう。リブとクッションの内角をループ選択し、コピー（ Shift ＋ D ）、分離（ P ）したら、メッシュからカーブに変化させ、カーブのオブジェクトデータプロパティでベベルをかけると表現できます。

Step 3 | 留めボタンのあるクッションをつくろう

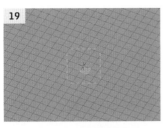

19

ここで、プラスアルファの表現を学んでいきましょう。クッションの真ん中に留めボタンがある表現にチャレンジしてきます。まず、再度クッションの原型となるメッシュを作成します。真ん中の4つの面を選択します。

20

オブジェクトデータプロパティの「頂点グループ」の「＋」をクリックして新規の頂点グループを追加し、「割り当て」をクリックします。
頂点グループ→p.200

21

すると、この4つの面が頂点グループとして記憶され、各種機能で呼び出すことができます。

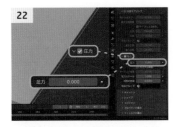

22

オブジェクトモードに戻り（ Tab ）、クロス物理演算を追加します。先程と同様に、物理演算プロパティの「圧力」にチェックを入れ、圧力の値を5に設定します。今回は重力は1のままにしておきます。

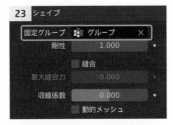

23

そして、先程設定した頂点が留めボタンとなるような設定を行います。物理演算プロパティ内の「シェイプ」の「固定グループ」をクリックし、先程設定した頂点グループを選択します。

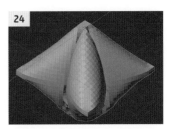

24

このまま space を押してシミュレーションを開始すると、留めボタンにあたる部分を残して、重力と共にクッションが下に落ちてしまいます。

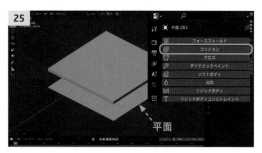

25

ここで、クッションを膨らませる際に下で支え、クッションを反発させるための床を置き、物理演算の「コリジョン」を設定していきましょう。平面を追加し（[Shift]＋[A]）、クッションの下に［移動］させたら（[G]→[Z]）、これにコリジョンを追加します。

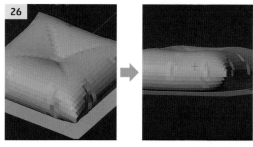

26

この状態で、再度シミュレーションを行うと、このように下の平面に反発してクッションが膨らみます。
コリジョン→p.200

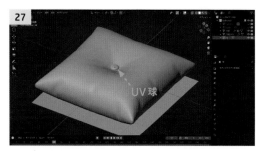

27

サブディビジョンサーフェスモディファイアを追加し、自動スムーズシェードを使用すると、このようになります。UV球を追加し（[Shift]＋[A]）、上下方向に［縮小］して（[S]→[Z]）、ボタンのように置いてみましょう。

28

最後に、マテリアル・環境設定を行い、レンダリングをして完成です！

YouTube

動画でもRecipeを確認

https://youtu.be/zNHA_7f7-zc

Recipe 24

旗を
つくろう

サンプルダウンロード | Part 3 > 📁 Recipe 24

クロスの物理演算と、風のフォースフィールドを組み合わせて、はためく旗を作り
ましょう。頂点グループを作成して、シェイプの固定グループとして設定する方法
はRecipe 23のクッションの留めボタンと同じ考え方です。セルフコリジョンを用
いて、シミュレーションの際に自身を貫通しないように設定します。

新出機能の確認

風のフォースフィールド

風のシミュレーションを行う
フォースフィールドです。クロ
スの物理演算と組み合わせて旗
の表現に活用します。

セルフコリジョン

シミュレーションの際にクロス
がクロス自身を貫通することを
防ぎます。

Step 1 | 風になびく旗をつくろう

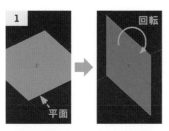

まず、旗の布の部分を作成していきましょ
う。立方体を［削除］（X）し、平面を追加
して（Shift + A）、X軸を中心に90度［回
転］させます（R → X → 90）。

フロントビューにして、編集モードに入り
ます（Tab）。クロスシミュレーションを適
用させるために、面を［細分化］しておき
ましょう（右クリック）。

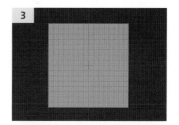

一度細分化したら、［直前の操作を繰り返
す］（Shift + R）を使って更に3回、細分
化します。

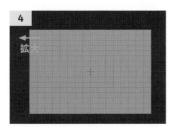

左右方向に1.5倍［拡大］して（S → X →
1.5）、長方形にしましょう。

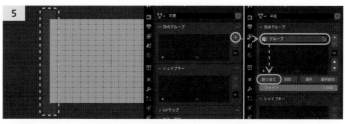

後ほど風の物理演算を適用した際に左端が動かないように、頂点グループを設定しておきま
す。左端の頂点をボックス選択して、オブジェクトデータプロパティー上で「＋」をクリック
し、新たな頂点グループを作成したら「割り当て」をクリックして設定します。

オブジェクトモードに戻り（Tab）、物理演算プロパティで「クロス」をクリックして、平面にクロスの物理演算を適用します。
クロス物理演算→p.200

物理演算プロパティの「コリジョン」の「セルフコリジョン」にチェックを入れておきます。クロスがクロス自身を貫通することを防ぎます。また、「シェイプ」の「固定グループ」に先ほどの頂点グループを設定します。

ここまでで、旗の方の物理演算の準備は完了です。次に、風を設定していきましょう。フォースフィールドの風を追加します（Shift+A）。

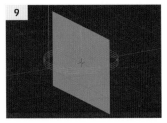

ここに現れた、リング（4つの輪）が風の強さを、矢印が風の方向を表しています。
風のフォースフィールド→p.205

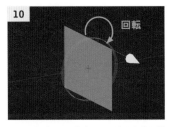

フロントビューから向かって左から右に風を吹かせたいので、フォースフィールドを[回転]させましょう（R→Y→90）。

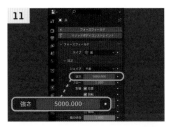

物理演算プロパティで風の「強さ」を変更します。デフォルトでは1になっていますが、これを5000に変更します。

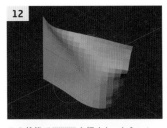

この状態で space を押すと、シミュレーションがスタートしてこのように旗がはためきます。シミュレーションを確認しながら、風の強さは任意で設定してみましょう。

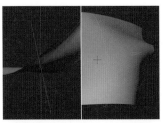

うまくいかないとき

思うようなシミュレーション結果が得られなかった場合、風の強さだけではなく、向きも変えてみましょう。トップビューにしてZ軸を中心に回転させ斜め前から風を当てる、フロントビューでY軸を中心に回転させ、少し下から風を当てる等、工夫次第でより良い結果が得られるかもしれません。

一度シミュレーションを行ったら、プレイヘッドを動かしながら任意の場所で止め、自動スムーズを使用（右クリック）しましょう。見た目をさらに滑らかにするために、サブディビジョンサーフェスモディファイアを追加します。

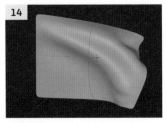

すると、長方形の角が丸まってしまいました。

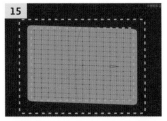

編集モードに入り（Tab）、[ループ選択]をします（Alt／Option+左クリック）。
ループ選択→p.60

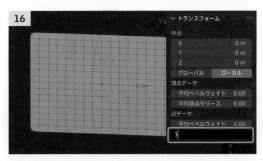

3Dビューポートの右側のプロパティシェルフを引き出し（N / プロパティシェルフのアイコン）、「平均クリース」の値を1にしましょう。

辺のクリース→p.76

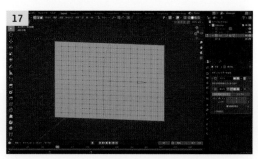

平均クリースは、エッジの鋭さを定義します。値を1にするとシャープな角として表現されます。0の場合はサブディビジョンサーフェスに従った丸みになります。

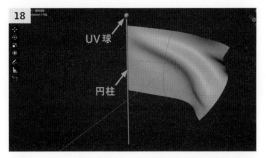

最後に、UV球と円柱を追加して（Shift+A）、端の支柱を作りましょう。

マテリアル・環境設定をしたら、レンダリングをして完成です！

YouTube

動画でもRecipeを確認

https://youtu.be/RjWs34qPnY0

ホイールを
つくろう

時計や自動車のホイール等、円形に配列されているものの1ピースを作るために、円形の一部を切り取ってモデリングします。その後、3Dカーソルをピボットポイントにして、エンプティを活用して複製します。このとき、複数の円をベースにパーツを作っていき、最後に頂点マージツールで結合します。単調になりがちな円形の配列のオブジェクトに変化を加えるために、ナイフツールでメッシュに切り込みを入れて、造形に一工夫すると良いでしょう。

新出機能の確認

頂点マージ

選択したすべての頂点を1つの頂点にマージ（結合）します。Mを押すとポップアップメニューでマージのオプションが現れます。1つずつクリックして頂点を選択した場合（＝アクティブオブジェクトがある場合）には、「最初に選択した頂点に」「最後に選択した頂点に」というオプションが選択できます。

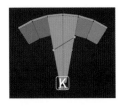

ナイフツール

ジオメトリをインタラクティブに細分割できる機能です。Kを押したら、カーソルがメスのアイコンに変わり、メッシュに自由に切り込みを入れることができます。

エンプティ

円形の配列の角度を決める際に利用します。配列モディファイアの「オフセット（OBJ）」でエンプティをオブジェクトに指定することで、配列のコントローラーとして活用します。エンプティを回転させると、オブジェクトが円形に配列されます。

例えば、エンプティにR→X→60と入力すると、オブジェクトがX軸を中心に60度ずつ回転して円形の配列を形成します。

Step 1 | ホイールのパーツをつくろう

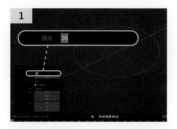

立方体を［削除］し（X）、円を追加して（Shift＋A）、左下に現れるオペレーターパネルの頂点数を32から36に変更します。

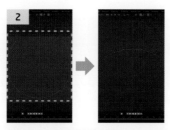

X軸を中心に90度［回転］し（R→X→90）、上方の7つの頂点を除いて全て［削除］します（X）。

ここから、徐々に形状を作成していきます。その前に、ピボットポイントのパイメニュー（.）で、ピボットポイントを「3Dカーソル」にしておきましょう。この状態で、拡大縮小すると、3Dカーソル（厳密にはXYZ座標＝0の点に3Dカーソルを置いている場合）を軸に拡大縮小することができます。

ピボットポイントの準備ができたら、［押し出し］とセットで［縮小］をして（E→S）、ホイールのリム（外周の環状部分）を作成します。3Dカーソルに向かって均等に面を張りたいので、押し出しと縮小をセットで行います。

再度、［押し出し］・［縮小］しましょう（E→S）。

ピボットポイント→p.112

そこから、奥に向かって［移動］させます（G→Y）。

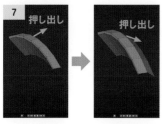

さらに上部の外周を［ループ選択］して（Alt／Option＋クリック）、［押し出し］ます（E）。

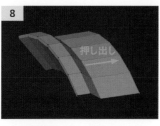

リムの断面形状を作ってきます。

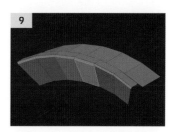

次に、ホイールのスポークの部分を作っていきましょう。面選択モードにして、斜め面の2つの面を［削除］します（X）。

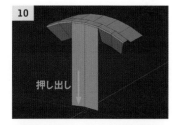

辺選択モードにしてから、2辺を選択し、中心に向かって［押し出し］ましょう（E）。

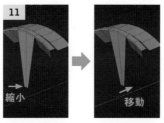

［縮小］し（S）、奥に向かって［移動］させます（G→Y）。

ホイールの中心部分を作っていきましょう。編集モードのまま円を追加し（Shift＋A）、頂点の数は24にしておきます。

13

回転

X軸を中心に90度［回転］させます（Ⓡ→Ⓧ→90）。

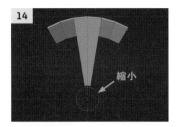

14

縮小

［縮小］します（Ⓢ）。

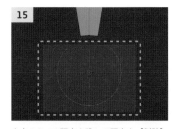

15

上方の5つの頂点を残して頂点を［削除］します（Ⓧ）。

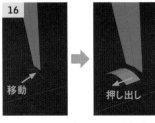

16

移動　押し出し

スポークの根元と近い位置まで［移動］させ（Ⓖ→Ⓨ）、［押し出し］ながら（Ⓔ）、中心の断面形状を作っていきます。

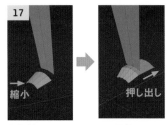

17

縮小　押し出し

新規追加した円のパーツのみ選択したい場合は、ライトビュー・透視投影にしてボックス選択するか、リンク選択を活用しましょう（選択したい一連の頂点・辺・面の上部にカーソルを持っていきⓁを押します）。
リンク選択→p.112

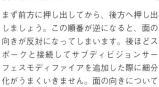

Tips

押し出し方向

まず前方に押し出してから、後方へ押し出しましょう。この順番が逆になると、面の向きが反対になってしまいます。後ほどスポークと接続してサブディビジョンサーフェスモディファイアを追加した際に細分化がうまくいきません。面の向きについてはp.201のTipsを参照ください。

Step 2 | マージとナイフツールで形をつくろう

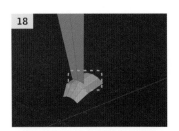

18

ここから、スポークと中心部分を接続していきましょう。面選択モードにして、中心部分の2つの面を［削除］します（Ⓧ）。

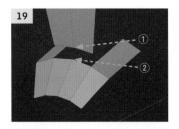

19

頂点選択モードにして、中心の2つの頂点を、上→下の順番に選択します。ここで［マージ］機能（Ⓜ）を使いましょう。

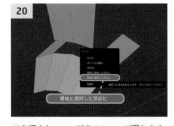

20

Ⓜを押すと、マージのメニューが現れます。最後に選択した下の頂点で［マージ］したいので「最後に選択した頂点に」を選択します。

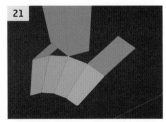

21

するとこのように、2つの頂点が1つに統合（マージ）されます。
頂点マージ→p.208

マージ
中心に
カーソル位置に
束ねる
距離で

Tips

マージ時の頂点の選択

マージをする際、それぞれの頂点をクリックをして選択するようにしましょう。頂点をボックス選択で選択してしまうと、このように「最初・最後に選択した頂点に」マージするメニューが現れないので注意が必要です。

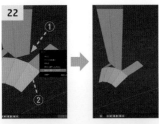

マージした頂点の隣の2つの頂点も同様に
[マージ] しましょう（Ｍ）。

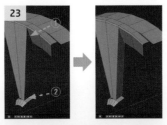

次に、スポークの側面を作っていきます。
このように2つの辺を選択して [フィル]
で面を張りましょう（Ｆ）。

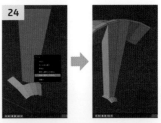

Y軸を境にした反対側も同様に [マージ]、
[フィル] を行っていきましょう。
フィル→p.82

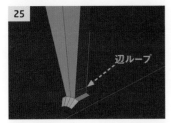

後ほど制御しやすいよう、[辺ループを挿
入] しておきます（Ctrl＋Ｒ）。
辺ループを挿入→p.56

次に、ナイフツール（Ｋ）を用いてスポー
クのデザインを作り込んでいきましょう。
フロント表示にして、Ｋを押し、面上でク
リックをしていくとこのように切り込みが
入ります。Enter で確定されるとナイフ
ツールのモードが終了します。

再度ナイフツールで、先ほどの切り込みの
下に、このように切り込みを入れましょう
（Ｋ）。
ナイフツール→p.208

ナイフツールで作成した上側の2辺を選択
し、前方に [移動] させます（Ｇ→Ｙ）。

オブジェクトモードに戻り（Tab）、ベベル
モディファイアを追加します。このとき
「制御方法」は、「角度」から「ウェイト」
に変更しましょう。メッシュ上で後ほどベ
ベルのウェイトを設定していきます。

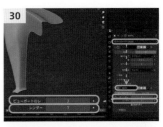

更に、サブディビジョンサーフェスモディ
ファイアを追加し、「ビューポートのレベ
ル数」と「レンダー」の数をそれぞれ3に
しておき、自動スムーズシェードを使用し
ます（右クリック）。

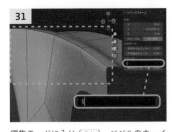

編集モードに入り（Tab）、ベベルのウェイ
トを設定していきましょう。リムの内側の
辺ループを [ループ選択] し（Alt /
Option ＋クリック）、Ｎでトランスフォー
ムメニューを呼び出し、辺データ内の「平
均ベベルウェイト」の値を1.0にします。

同様にスポークの両サイドの辺を選択して、
「平均ベベルウェイト」の値を0.25にしま
す。

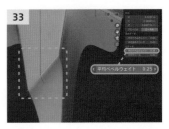

さらにナイフツールで入れた切り込みの辺
を選択して、「平均ベベルウェイト」の値を
0.25にします。

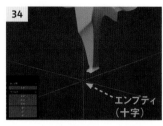

いよいよ、この部品を回転しながら複製していきましょう。円形の複製をコントロールするためのエンプティを追加します。
円形に配列→p.208

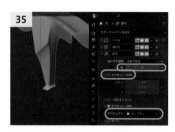

次に、ホイールのパーツを選択し、配列モディファイアを追加します。「数」を6にして、「オフセット」のチェックを外し「オブジェクト」でエンプティを選択します。

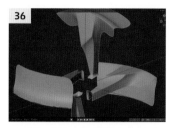

エンプティを使って、配列をコピーしていくのですが、エンプティを動かしていないのに、ホイールが思わぬ方向に配列されています。

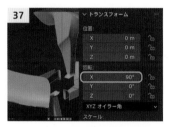

これは、ホイールの部品が回転の情報を持っているためです。N を押してトランスフォームメニューを確認すると、X方向に回転が90度が残っているのがわかります。
トランスフォームの適用→p.92

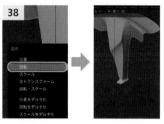

この情報をリセットするため「オブジェクトのトランスフォームを適用」しましょう。Ctrl + A を押して「回転」を選択します。すると、6つの配列オブジェクトが一つに重なりました。

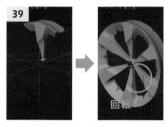

いよいよ、エンプティを用いて、円形に複製していきます。エンプティを選択した状態で、Y軸を中心に60度［回転］させましょう（R → X → 60）。

部品間に隙間が空いてしまっています。部品を選択して、配列モディファイアを最上部に移動させ（モディファイアの適用順番を変え）、「マージ」と「コピーの最初と最後」にチェックを入れます。

もし、部品間でまだ隙間が空いてしまっている場合は、マージの「距離」の値を上げましょう。今回はデフォルトの0.01から0.05に変更しました。

最後に、マテリアル・環境設定をしたら、レンダリングをして完成です！

YouTube

動画でもRecipeを確認

https://youtu.be/pS_VKpepP60

26

観葉植物を
つくろう

Recipe 25のホイールを作成したときと同様、エンプティを用いて配列をコントロールします。更に、カーブモディファイアと組み合わせて使用することにより、カーブに沿わせながら配列することができます。

新出機能の確認

┃ エンプティ（2）

配列の位置や角度を決めるハンドルとして活用します。「どの程度回転や移動させるか」といったトランスフォーム情報をエンプティをハンドルにしてコントロールし、配列モディファイアのインプットにします。

配列とカーブの
コンビネーション

配列モディファイアを追加したオブジェクトに、カーブモディファイアを更に追加すると、カーブに沿いながら配列させることができます。

Step 1 ┃ 葉をつくろう

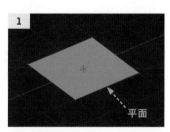

平面

まず、葉をモデリングしましょう。立方体を［削除］し（Ⓧ）、平面を追加して（Shift＋Ⓐ）、編集モードに入ります（Tab）。

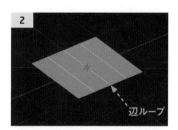

辺ループ

X軸方向に［辺ループを3本挿入］します（Ctrl＋Ⓡ→3→Enter／クリック→Esc）。

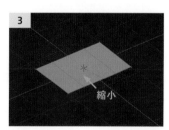

縮小

葉の形状のベースとなるよう、長方形に変形していきます。［全てを選択］し（Ⓐ）、X軸方向に［縮小］しましょう（Ⓢ→Ⓧ）。

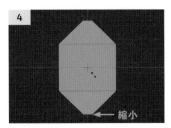

トップビューにして葉のアウトラインを作り込んでいきます。[Shift] を押しながら四隅の4つの頂点を選択し、X軸方向に［縮小］します（[S]→[X]）。

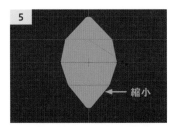

更に、トップビューで見ながら、先端と同様に他の頂点の形を整えていきましょう（[S]→[X]）。

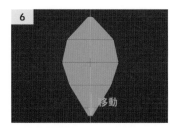

下端の2つの頂点を選択し、下方へ下げます（[G]→[Y]）。

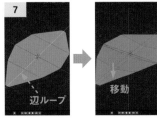

葉の中心を作っていきます。Y軸方向に［辺ループを挿入］し（[Ctrl]＋[R]→[Enter] / クリック→[Esc]）、先端の四隅の頂点と合わせて下方へ下げます（[G]→[Z]）。

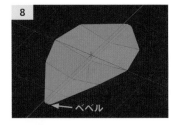

次に、葉の中心の節を形作っていくため、辺ループに［ベベル］を適用します（[Ctrl]＋[B]）。
辺のベベル→p.60

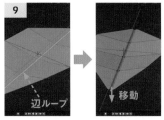

更に、再度Y軸方向に［辺ループを挿入］し（[Ctrl]＋[R]→[Enter] / クリック→[Esc]）、そのまま下方へ［移動］させ（[G]→[Z]）、折り目をつけます。

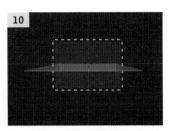

ライトビューで動きを付けていきます。透過表示（[Alt] / [Option]＋[Z]）にして、両端を残してボックス選択をします。

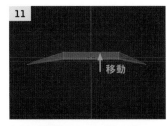

上方へ［移動］させます（[G]→[Z]）。

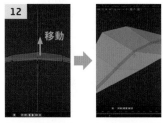

次に、真ん中のグループだけを選択、［移動］して（[G]→[Z]）、徐々に円弧を描いていきましょう。

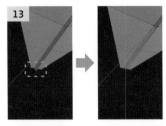

透過表示を解除し（[Alt] / [option]＋[Z]）、葉の両端の形状を整えていきます。先端の5つの頂点を選択し、上下方向の高さを揃えます（[S]→[Z]→0）。

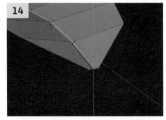

手前が完了したら、奥の先端も同様に高さを揃えましょう。

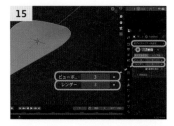

オブジェクトモードに戻り（[Tab]）、サブディビジョンサーフェスモディファイアを追加して「ビューポートのレベル数」と「レンダー」の数をそれぞれ3にしておき、自動スムーズシェードを使用します（右クリック）。この時、形状がイメージ通りになっているか確認し、そうでなければ編集モードで微調整をします。

ソリッド化モディファイアで厚みをつけましょう。モディファイアープロパティの「幅」の値を0.03にします。

ソリッド化モディファイアを適用し、厚みを確定させます。
ソリッド化モディファイア→p.72

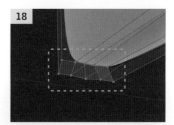

編集モードに入り（Tab）、手前の頂点群を選択します。

LoopTools（右クリック）の「円」を適用します。うまくいかないときは、［拡大・縮小］（S）で頂点の位置を調整しましょう。

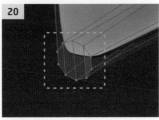
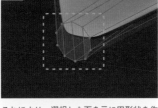

これにより、選択した面を元に円形状を作成することができます。
LoopTools→p.76

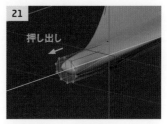

この円形の断面をY軸方向に少し［押し出し］て（E→Y）、根本の表現をします。断面が円形になっていることにより、葉の断面から綺麗に円形に変化しています。

再度、円形断面をY軸方向に先程より長めに［押し出し］ます（E→Y）。

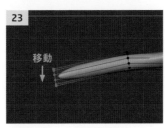

このとき、ライトビューから操作し、少し下方に［移動］しましょう（G）。

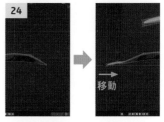

葉を配列し茎に沿わせるための準備をします。葉の基準となる原点に根元が来るよう調整します。編集モードで［全選択］し（A）、葉全体を移動させて、原点（オレンジ色の点）と葉の根元が重なるように［移動］させましょう（G）。

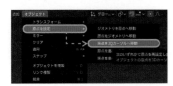

原点の移動

後に、茎に複数の葉を沿わせる編集に関わるため、原点は必ずXYZ座標=0の位置に置きましょう。そうでない場合は、オブジェクトメニューから「原点を3Dカーソルへ移動」を適用しておきます。3DカーソルがXYZ=0の位置にない場合は、Shift+Cで設定します。

オブジェクトモードに戻り（Tab）、いよいよ配列モディファイアを使用して葉を増やしていきます。配列モディファイアを追加して「数」を10に設定しましょう。

配列モディファイア→p.92

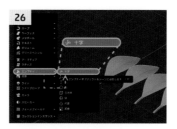

この10枚の葉を、Z軸を中心に上下方向に分散させながら配列します。この配列のコントロールを行うための「エンプティ」（十字）を追加します（Shift＋A）。

エンプティ→p.213

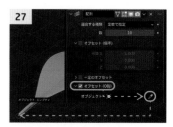

葉のオブジェクトを選択し「オフセット（倍率）」のチェックを外して「オフセット（OBJ）」にチェックを入れます（10枚の葉が重なっている状態になります）。オブジェクトのスポイトをクリックして、ビューポート上で先程追加したエンプティを選択しましょう。

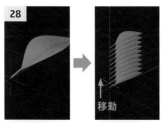

これで配列コントロールの準備は完了です。エンプティを選択して上方に［移動］させる（G→Z）と、重なっていた10枚の葉が上下方向に分散して配列されます。

更に、Z軸を中心にして［回転］させながら（R→Z）分散配置します。

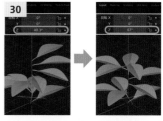

全体のバランスを見ながら回転度数を上げていきましょう。

次に、配列した葉を、カーブに沿わせてみましょう。カーブ（ベジェ）を追加します（Shift＋A）。

カーブ→p.120

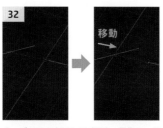

カーブだけを表示して（/）、編集モードに入り（Tab）、［全選択］します（A）。カーブの端が原点と重なるように［移動］しましょう（G→X）。このとき、Ctrlを押しながらグリッドに沿って移動できます。

オブジェクトモードで（Tab）、Y軸を中心に270度［回転］させ（R→Y→270）、カーブを起き上がらせます。

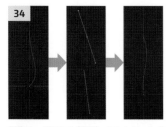

編集モードに入り（Tab）、コントロールポイントやハンドルを動かして、カーブを調整していきましょう。このカーブが茎になると想像しながら編集していきます。

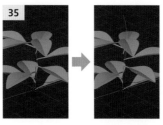

オブジェクトモードに戻り、全体を表示させ（/）、カーブの大きさを調整しましょう（S）。

葉のオブジェクトにカーブモディファイアを追加します。「カーブオブジェクト」には先ほど作成したベジェカーブを設定します。

すると、葉がカーブに沿って配列されます。一番下の葉が、茎の根元に位置しているので、編集モードに入って（Tab）、位置を調整していきましょう。

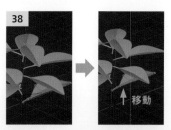

編集モードで、葉を上方に［移動］させると（G→Z）、葉の全体が上方に移動します。

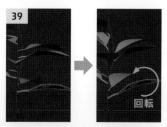

そのままライトビューにして、葉の傾きを調整します（R）。

葉の大きさを調整してみましょう。オブジェクトモードに戻り、エンプティを［縮小］させると（S）、上方に向かって徐々に葉の大きさが小さくなっていることが分かります。

そのままエンプティを上方に［移動］させましょう（G→Z）。

細かく茎に対する葉の位置を調整します。

次に、カーブに厚みをつけていきます。厚みをつけるためにカーブを複製して新しいカーブを用意しましょう（Shift+D）。

複製したカーブを選択し、オブジェクトデータプロパティーの「ジオメトリ」内、「ベベル」の「深度」の値を0.04にして「端をフィル」にチェックを入れます。

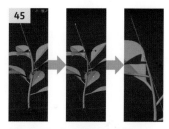

編集モードに入り（Tab）、上端のコントロールポイントを選択し、Alt+Sを押してドラッグして太さを調整します。

Step 3 │ **植木鉢をつくって仕上げよう**

最後に、植木鉢を作っていきましょう。オブジェクトモードで（Tab）、円柱を追加します（Shift+A）。

編集モードで（Tab）、［インセット］（I）と［押し出し］（E）を活用しながら形状をモデリングしていきます。

底面は［縮小］しておきます（S）。

オブジェクトモードに戻り（tab）、ベベルモディファイアを追加します。セグメントの量は5にしておきましょう。
ベベルモディファイア→p.116

サブディビジョンサーフェスモディファイアを追加し、「ビューポートのレベル数」と「レンダー」の数をそれぞれ3にしておき、自動スムーズシェードを使用します（右クリック）。

植木鉢の表面の地面を作っていきましょう。平面を追加して（Shift＋A）、平面だけを表示させます（/）。

編集モードに入り（tab）、2回細分化しましたら（右クリック）、Loop Toolsで「円」を選択しましょう。

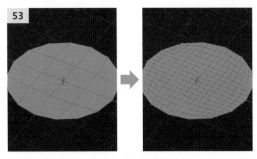

メッシュが円形に変形されていることを確認したら、そのまま細分化をさらに2回繰り返します（右クリック）。

プロポーショナル編集をオンにして、減衰タイプを「ランダム」に設定しましょう。
プロポーショナル編集→p.72

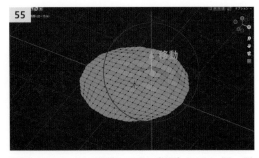

頂点を1つクリックして選択し、上方に［移動］させると（G→Z）、周囲の頂点へランダムに影響・減衰していることが分かります。

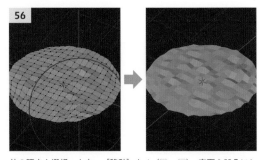

他の頂点も選択、上方へ［移動］させ（G→Z）、表面を凹凸にしていきましょう。

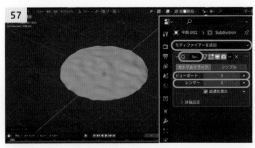

オブジェクトモードに戻り、サブディビジョンサーフェスモディ
ファイアを追加し、「ビューポートのレベル数」と「レンダー」の数
をそれぞれ3にしておき、自動スムーズシェードを使用します（右
クリック）。

全体を表示させ（[I]）、植木鉢の上部に配置（[G]）、[縮小]（[S]）し
ましょう。土の表現ができました。

これで、モデリングは完了です。

マテリアル・環境設定をしたら、レンダリングをして完成です！

画像を用いた葉の描写

今回は葉をモデリングして作成していますが、葉の背景透過
画像を用いて作成することもできます。動画ではそのやり方
も紹介しています。Recipe 28 も参考にしてください。

YouTube

動画でもRecipeを確認

https://youtu.be/TSk_S9xHLR4

Recipe 27

草原を つくろう

パーティクルを用いて、平面に草を生やして草原を作りましょう。平面のどこに
パーティクルを設定するか、ウェイトペイントを活用して決めていきます。今回
は、Lesson 17で紹介したアドオン「Botaniq」を用いて草を作成します。

新出機能の確認

パーティクル

メッシュオブジェクトから粒子
（パーティクル）を出力・放射す
る事ができる機能です。今回は、
平面に草のオブジェクトをランダ
ムに配置します。

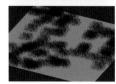

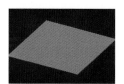

ウェイトペイント

頂点グループにウェイトの重み
づけをペイントします。大量の
頂点のウェイト情報を直感的に
編集することができます。この
ウェイト情報を元にオブジェク
トを配置します。

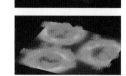

Step 1 ｜ 草原をつくろう

Lesson 17で紹介したアドオン「Botaniq」
を用いて草を追加します。Botaniqをイン
ストールすると、3Dビューポート右側の
プロパティシェルフに「polygoniq」のタ
ブが現れます。このパネルの「Spawn
Asset」をクリックします。

カテゴリのプルダウンを「grass」にしま
しょう。草のサムネイルをクリックしま
しょう。

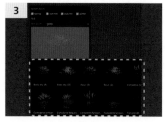

現在のパッケージで選択できる草だけが着
色されて表示されます。今回はBasic（A）
を選択して「OK」をクリックします。

ビューポートに草のオブジェクトが追加されました。

パネルの「Convert to Editable」をクリックすると、編集可能なオブジェクトに変換されます。

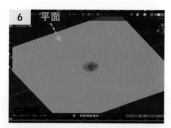

平面を追加して、3倍に［拡大］します（S→3）。この平面にパーティクルを設定して、草原を作っていきましょう。

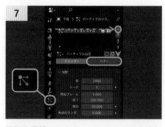

平面を選択したまま、パーティクルを追加します。パーティクルのタイプをヘアーに変更します。

レンダーの「レンダリング方法」をオブジェクトに変更しましょう。
パーティクル→p.190

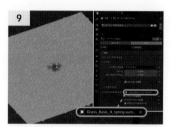

インスタンスオブジェクトを、先ほど作成した草に設定すると、このようにパーティクルが生成されます。

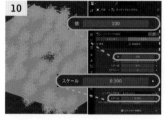

発生の「数」を100にして、レンダーの「スケール」を0.3に変更しましょう。

パーティクルのオブジェクトの向きを調整します。「詳細設定」にチェックを入れると「回転」のメニューが現れるので、こちらにチェックを入れ、「回転する軸」を「グローバルY」にします。

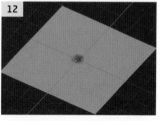

ウェイトペイントという機能を使って、この平面の中で、草を生やす場所を決めていきましょう。ウェイトペイントとは、頂点に重み付けを設定する機能です。そのため、平面を細分化して頂点を増やしておく必要があります。編集モードに入り（Tab）、［細分化］をします（右クリック）。

［直前の動作を繰り返す］（Shift+R）を4回をして、［細分化］を繰り返し実行しましょう。
細分化→p.64

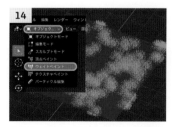

オブジェクトモードに戻り（Tab）、平面を選択したままウェイトペイントモードに移動します。ブラシで色を塗った赤い部分の重みが1、青い部分の重みは0です。後ほど、パーティクルの設定をした際に、赤い部分に草が配置されることになります。

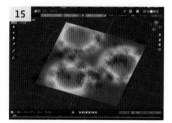

ブラシの大きさはFを押したままマウスをドラッグすることで調整できます。
ウェイトペイント→p.220

16

ウェイトペイントで色を塗ったことで、オブジェクトデータプロパティに、頂点グループが新たに作成されます。これを、パーティクルの設定に活用して、草が生える場所とそうでない場所を分けていきます。

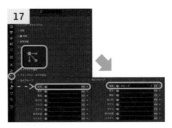

17

パーティクルのプロパティを開いて「頂点グループ」の「密度」をクリックし、先ほど設定した頂点グループを選択します。

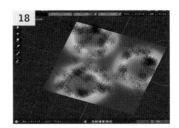

18

すると、このように赤く塗った部分にだけ草が配置されていることがわかります。

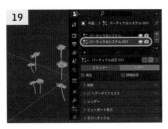

19

同様に、別のオブジェクトで新たなパーティクルを作成してみましょう。

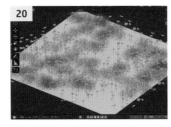

20

ここでは Misc カテゴリの Mushroom を設定しました。

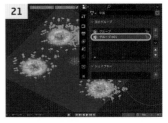

21

ウェイトペイントのモードに入ったら、オブジェクトデータプロパティーで、頂点グループを新たに作成します。

22

他のパーティクルのウェイトペイントするときは、先ほど作った草のパーティクルは非表示にしておくと見やすいでしょう。

23

最後に、マテリアル・環境設定をしたら、レンダリングをして完成です！

YouTube

動画でも Recipe を確認

https://youtu.be/Hn8TdOjGa3c

Recipe

28

木を
つくろう

サンプルダウンロード | Part 3 > 📁 Recipe 28

樹木があると3Dシーンはリッチに表現できます。Sapling Tree Genという
Blenderの標準アドオンで簡単に樹木を作成してみましょう。木に質感を付ける
際、「ノイズテクスチャ」「カラーランプ」「バンプ」のノードを組み合わせて、色の
濃淡と、凹凸をそれぞれテクスチャを用いて作っていきます。

新出機能の確認

Sapling Tree Gen

樹木を作成するアドオンです。アドオンを有効化すると、カーブオブジェクトの一つとして選択できます。

「ノイズテクスチャ」と「カラーランプ」=色の濃淡

色の濃淡を作成するノードの組み合わせです。ノイズテクスチャは「フラクタルノイズ」を値やカラーで出力します。カラーランプはグラデーションを用い、値をカラーにマッピングする役割を持ちます。

「ノイズテクスチャ」と「バンプ」=凹凸

凹凸を表現するノードの組み合わせです。バンプはメッシュで凹凸をつけていなくても見た目上の凹凸感を表現できます。

Part 3 ― 便利機能を使いこなそう

Step 1 | 木の形状をつくろう

まず、木の作成方法、アドオンの使用方法を見ていきましょう。Sapling Tree Genは樹木を作成するアドオンです。多くのプリセットツリータイプがあり、そこから選ぶことも、自分で作成することもできます。
アドオン→p.192

インストールすると、オブジェクト追加メニューの「カーブ」の中に項目として「Sapling Tree Gen」が追加されるので選択してみましょう。

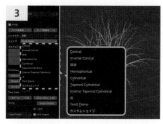

すると、このようにカーブで作成された木が3Dビューポートに追加されます。左下に現れるオペレーターパネルの「シェイプ」のプルダウンを見てみると、様々な種類の木に変更できます。

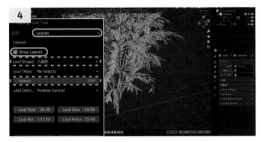

設定のプルダウンから「Leaves」のメニューに移動し、「Show Leaves」にチェックを入れると、木に葉が設定されます。「Leaves Shape」で葉の形を、「Leaves」の数値で葉の密度を設定できます。

今回は、葉にPNG画像を投影するため、Rectangular（長方形）を選択しましょう。「Leaves」の数値を50に、右上の「Leaf Scale（X）」の値を0.5にします。

次に、木の質感を作成していきます。木を選択して、マテリアル設定をしていきましょう。「シェーディング」ワークスペースに移動し、シェーダーエディターのヘッダーメニューで「新規」をクリックします。ここから、テクスチャノードを組み合わせて、色の濃淡と、凹凸をそれぞれ作っていきます。

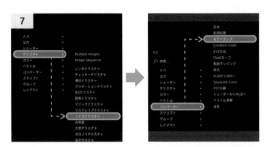

まず、色の濃淡を付けていきます。「ノイズテクスチャ」と「カラーランプ」ノードを使用します。カラーランプノードは、グラデーションを用い、値をカラーにマッピングするために使用します。
色の濃淡→p.223

ノードを追加し（Shift+A）、このように繋いだら、ノイズテクスチャの「スケール」の値を5から30に変更しましょう。すると、木の色に濃淡が付いたのがわかります。

カラーランプのカラーモード上のステップを選択し、カラーピッカーを開くと、ステップのカラーを変更できます。このように濃い茶色・薄い茶色の組み合わせにしましょう。

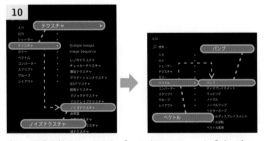

次に、凹凸を付けていきます。「ノイズテクスチャ」と「バンプ」ノードを使用します。ノイズの情報（ノイズテクスチャ）を高さ方向の凹凸情報（バンプ）に変え、それをプリンシプルBSDFにつなぎます。

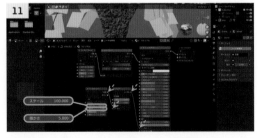

2つのノードを追加し（Shift+A）、このように繋いだら、ノイズの「スケール」の値を100に、「細かさ」の値を10にしましょう。
凹凸→p.223

Step 2 │ 葉の画像テクスチャを設定しよう

次に、葉に画像テクスチャを設定していきましょう。葉のオブジェクトを選択し、シェーダーエディターのヘッダーメニューで「新規」をクリックします。

背景透過画像→p.156

画像テクスチャを追加し（ Shift + A ）、葉の画像を読み込んでプリンシプルBSDFと繋ぎます。アルファのソケットも忘れずに繋ぎ、Eeveeの場合はブレンドモード・影のモードの設定も行います。背景透過の画像を設定する方法については、詳しくはRecipe 19を参考にしましょう。

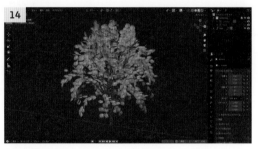

全体を確認してみると、葉が少し大きすぎたように見えます。この場合は、葉のオブジェクトを選択し、編集モードに入り（ Tab ）、大きさを調整します。

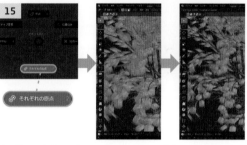

その際に、ピボットポイントのパイメニュー（ . ）で、移動の中心を「それぞれの原点」にしておきましょう。この状態で、拡大・縮小すると、選択したメッシュごとの中点を中心に独立して変形できます。

これで、モデリングは完了です。マテリアル・環境設定をしたら、レンダリングをして完成です！

YouTube

動画でもRecipeを確認

https://youtu.be/HSuIsGy6aTc

Part 3 ── 便利機能を使いこなそう

29

レモンを つくろう

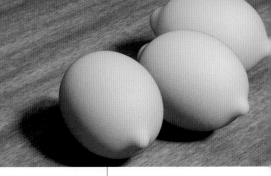

プリミティブな形でも、それらしいマテリアルを設定し、シーンを工夫するだけで、リアルな絵作りを実現することができます。ここでは、球を少しだけ編集してMaterial Libraryのレモン、木のマテリアルを活用し、シーンをつくっていきましょう。

新出機能の確認

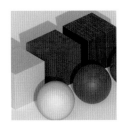

Material Library

Materials Libraryは、マテリアルライブラリを作成するアドオンです。マテリアルの保存、読み込み、分類を行い、すべてのプロジェクトで共有することができます。

Step 1 | レモンをつくろう

立方体を［削除］し（X）、UV球を追加します（Shift + D）。

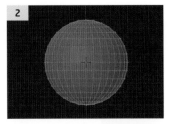

編集モードに入り（Tab）、透過表示にしたら（Alt / Option + Z）、フロントビューにしましょう（テンキー1）。

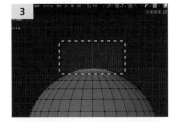

頂点選択モード（1）で、最上部の頂点とその下の頂点群を［ボックス選択］します（B）。

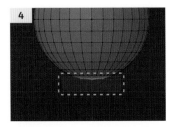

同様に最下部とその上の頂点群を、Shift を押しながら［ボックス選択］します。

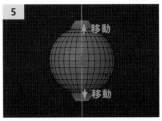

外側に［移動］しましょう（G→S→Z）。

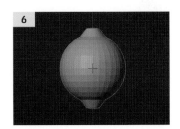

オブジェクトモードに戻り（Tab）、透過表示モードをオフにします（Alt / Option + Z）。

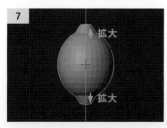

そのまま、上下方向に［拡大］しましょう（S→Z）。随分レモンらしくなってきましたね。

次に、サブディビジョンサーフェスモディファイアーを追加します。

「ビューポートのレベル数」と「レンダー」の数をそれぞれ4にしておきます。

マテリアルプレビューモードに入って、マテリアルを作成しましょう。マテリアルのプロパティのMaterial Libraryを開き、Select a LibraryのプルダウンからSample Materialsを選択します。
Material Library→p.193

オブジェクトが選択された状態で、リストの中からLemonを選択し、「Apply To Selected」のボタンをクリックしましょう。

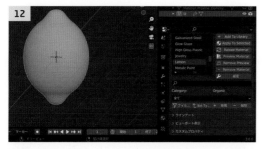

すると、このようにレモンのマテリアルが適用されました。

平面を［追加］して（shift＋A）、Material LibraryのWoodPを選択します。

レモンを回転させ、床に3つ並べて、レンダリングして、完成です！

YouTube

動画でもRecipeを確認

https://youtu.be/TeNx-EM-qkk

Part 3 — 便利機能を使いこなそう

ChatGPTをBlenderに導入しよう①

Column

BlenderGPTは、ChatGPTをBlenderに統合し、プロンプト（指示）を入力するだけで操作することができるアドオンです。

まず、以下のページからzipファイルをダウンロードします。

https://github.com/gd3kr/BlenderGPT

アドオンをダウンロードし、Blenderにインストール（p.192）したら、左側の▶をクリックして開きましょう。一番下に「API Key:」とあるので、ここにChatGPTのAPIキーを入れる必要があります。

APIキーを取得するために、OpenAIのAPIページへアクセスし、「Log in」からログインします。アカウントがない場合は作成しましょう（Billingメニューで支払い情報を登録しておかないと、Blenderでコマンドしたときにエラーが出てしまいますのでご注意ください。また、ChatGPTとAPIとは支払い形態が違いますので、ChatGPTの方に支払い情報を登録していたとしても、こちらのAPIでも再度の登録が必要です）。

「＋Create new secret key」を押して、新たなAPIキーを作成します。名前を「Blender」等と任意で入力したら「Create secret key」を押します。そこで作成されたキーを、右側のコピーボタンを押してコピーしましょう。

コピーしたAPIキーを先ほどのアドオンのボックスにペーストします。

（p.237に続きます）

Part | # 4

総復習しよう

Part4では、これまでに学んできたことを総復習します。
これまでの集大成として、3Dシーンの中で様々な手法を組み合わせる
術を身につけましょう。

Recipe

30

総復習として 部屋をつくろう

これまでの総復習を目的とした作品です。Part 1で学んだ基本のモデリングとマテリアル設定、3Dシーンの設定を中心に、Part 2で学んだテクスチャやアセットブラウザ、Part 3で学んだエンプティや物理演算、アドオンの活用を用いて作品を作り上げましょう。

Step 1 ｜ パーツを準備しよう

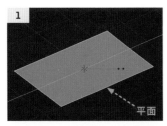

まず、インテリアの床を作りましょう。立方体を［削除］し（X）、平面を追加し（Shift ＋ A）、前後方向に［拡大］します（S → Y）。

この長方形を［コピー］して（Shift ＋ D）、壁を作っていきましょう。アウトライナーでコピーされたことを確認したら、編集モードに入ります（Tab）。

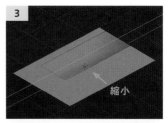

頂点を選択して、左右（G → X）、前後方向（G → Y）にそれぞれ動かし、一回り小さな長方形を作成します。

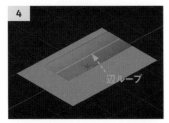

この長方形を2つのオブジェクトに分離します。［辺ループを挿入］しましょう（Ctrl ＋ R）。

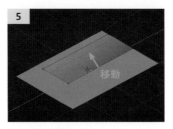

辺ループを［移動］させます（G）。

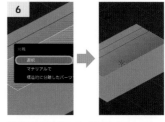

片側の面を選択して、［分離］（P）しましょう。

壁面を立ち上げていきます。最初に追加した長方形と、分離した左側の長方形を選択し、編集モードに入りましょう（Tab）。アウトライナー上で選択すると楽に選択できます。

Tips

重なっているオブジェクトの選択

重なっているオブジェクトを選択する他の方法として、Alt ／ option ＋右クリックして、ドロップダウンメニューを表示することができます。

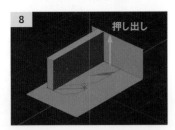

押し出し

頂点選択モード（1）で頂点を選択し、上方に［押し出し］ます（E）。2つのオブジェクトを同時に選択し、必要な頂点を選択して同時に押し出すことで、高さを揃えます。

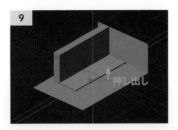

押し出し

オブジェクトモードに戻ったら（Tab）、同様に、残っている平面の編集モードに入り（Tab）、上方に［押し出し］て厚みをつけましょう（E）。

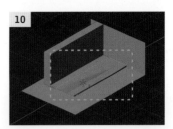

オブジェクトモードに戻り（Tab）、この直方体を選択して［コピー］します（Shift＋D）。

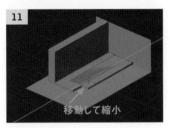

移動して縮小

編集モードに入り（Tab）、大きさ（S）と位置（G）を調整しましょう。

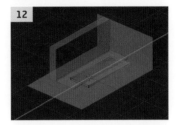

現在のビューから見えてない位置の頂点を選択する際には、透過表示（Alt／Option＋Z）を活用しましょう。視点移動して回り込む必要がなくなります。

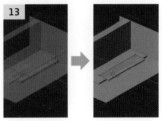

このようにさらに［移動］させます（G）。
透過表示→p.72

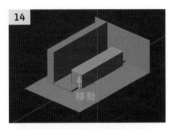

移動

上面を上に［移動］させます（G→Z）。大きな面を動かす際には、面の選択モード（3）で選択する方が効率的でしょう。頂点・辺・面の選択モードの使い分けは、正解があるわけではありません。ご自身の中でやりやすい方法を見つけてみてください。

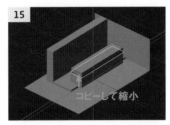

コピーして縮小

オブジェクトモードに戻り（Tab）、現在編集していた直方体を［コピー］して（Shift＋D）、テーブルの天板を作りましょう。このとき、まず上下方向に［縮小］して（S→Z）天板の厚みを決めます。

原点を設定

原点を重心に移動（サーフェス）

次に、左右方向に拡大して、天板の大きさを調整します。この時、原点（オレンジ色の点）が天板の中心にあると下の直方体と中心が揃いますね。ヘッダーメニューの「オブジェクト」→「原点を設定」→「原点を重心に移動（サーフェス）」を選択しましょう。原点がオブジェクトの中心に移動します。

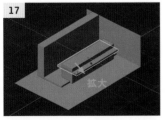

拡大

ここから、左右方向に［拡大］をしましょう（S→X）。

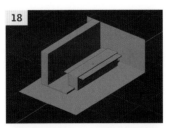

その後、天板の厚み（S→Z）や位置（G）を少し調整します。一度でオブジェクトの位置大きさが決まる事はないと考え、トライアンドエラーしてみましょう。

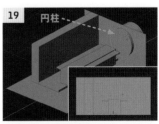

円柱

次に、壁に丸い穴を開けて窓を作ります。穴を開けるための円柱を追加し（Shift＋A）、X軸を中心に90度［回転］させたら（R→X→90）、位置（G）と大きさ（S）を調整します。

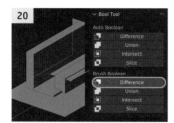

Recipe 12で活用したBool Toolを使用して穴を開けましょう。円柱→壁の順番に選択して、Bool Tool「Brush Boolean」の「Difference」をクリックします。

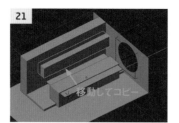

同様に、内側の直方体にも穴を開けて、壁を掘り込みます。直方体を［コピー］し（Shift＋D）、一回り小さな直方体にして（S）、重ねるように配置しましょう。

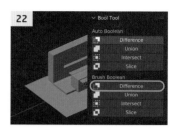

先程と同様に、小さい直方体→大きい直方体（壁）の順に選択し、Bool Tool「Brush Boolean」の「Difference」をクリックします。

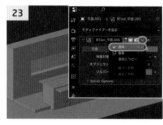

壁の掘り込みの中に、後ほど、木のマテリアルを追加して壁の装飾とする板を配置します。ブーリアンを適用して、編集モードに入りましょう（tab）。

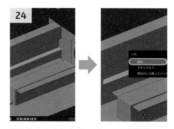

堀り込みの中の上向いている面を選択し、［コピー］した後（Shift＋D）に［分離］します（P）。これをベースに装飾の板を作っていきます。

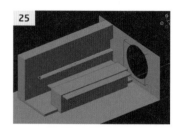

コピー、分離して新しくできた方の面を選択し、原点がオブジェクトの中心に移動しておきましょう。ヘッダーメニューの「オブジェクト」→「原点を設定」から「原点を重心に移動（サーフェス）」を選択しましょう。

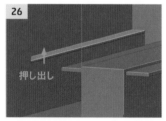

編集モードに入り（tab）、［押し出し］で厚みをつけておきます（E）。

手前の面を選択し、外側に少し［移動］しましょう（G→X）。

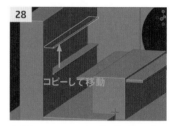

オブジェクトモードに戻り（tab）、［コピー］して（Shift＋D）、上方へ［移動］します（G→Z）。それで、壁の掘り込みの装飾ができました。

Step 2 ┃ 天井の桟をつくろう

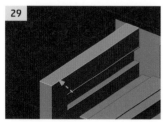

次に、天井の桟を作っていきます。壁の上面を選び、［コピー］（Shift＋D）して［分離］（P）します。

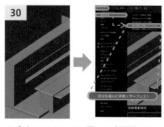

オブジェクトモードに戻って（Tab）、新しく作成した平面を選択し、原点をオブジェクトの中心に移動しておきます。

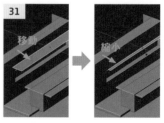

右側に［移動］させ（G→X）、左右方向に［縮小］します（S→X）。

編集モードに入り（[Tab]）、下方に［押し出し］します（[E]）。

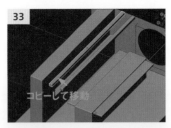

この直方体を［コピー］して（[Shift]＋[D]）、X軸にロックして［移動］させます（[G]→[X]）。

編集モードに入って（[tab]）、直方体のみを表示し（[/]）、奥の面を手前に［移動］させます（[G]→[Y]）。

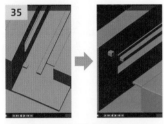

全てのオブジェクトを表示します（[/]）。
選択オブジェクトの表示→p.80

原点をオブジェクトの中心に移動させましょう。

上下方向に少し［縮小］します（[S]→[Z]）。

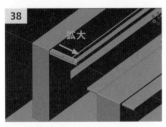

更に左右方向に［拡大］します（[S]→[X]）。

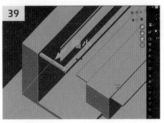

そして前後方向に［縮小］しましょう（[S]→[Y]）。

配列モディファイアを追加します。モディファイアープロパティの「X」の値を0にして、「Y」の値を4にしましょう。「反復」の値は、3Dビューポート見ながら奥の壁をはみ出さないよう、数を決めます。

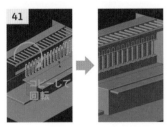

次に、この格子を［コピー］して（[shift]＋[D]）、Y軸を中心に90度［回転］させ（[R]→[Y]→90）壁の掘り込みの中に入れます（[G]）。

編集モードに入り（[Tab]）、XY軸にロックして、［縮小］しましょう（[S]→[Shift]＋[Z]）。

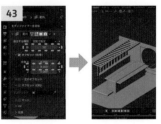

オブジェクトモードに戻ったら（[Tab]）、モディファイアープロパティの「Y」の値を変更して、間隔を調整し、奥の壁からはみ出た分は「数」で調整をしましょう。

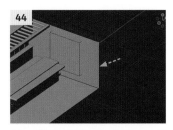

次に、ガラスの窓を作っていきます。丸い穴を開けた壁の編集モードに入り（Tab）、壁の右端の辺を選択します。

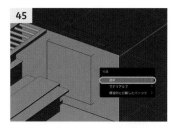

［コピー］して（Shift + D）、［分離］（P）しましょう。

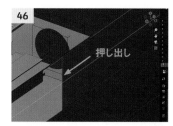

新たに作成した辺のオブジェクトの編集モードに入り（Tab）、手前に［押し出し］ます（E → Y）。

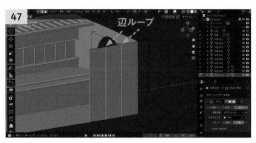

窓を分割していきましょう。2本の［辺ループを挿入］します（Ctrl + R → 2 → Enter / クリック → Esc）。

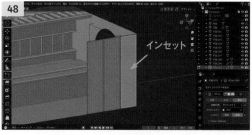

窓の枠を作っていきます。［個別の面でインセット］を行います（I → I）。複数面を同時にインセットする場合は、I を押すごとに「個別」と「全体」の面の差し込み方法を変更できます。

窓に厚みを付けます。全て選択して、左側に面を［押し出し］ましょう（E → X）。
個別にインセット→p.66

その後、内側の3つの面を選択し、左側に［押し出し］ます（E → X）。これで窓枠が立体的に仕上がりました。

Step 4 ｜ スツールを作成して仕上げよう

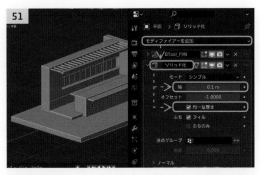

床と壁に厚みをつけておきましょう。オブジェクトを選択して、ソリッド化モディファイアーを追加します。モディファイアープロパティの「幅」の値は 0.1 に、「均一な厚さ」にチェックを入れておきましょう。

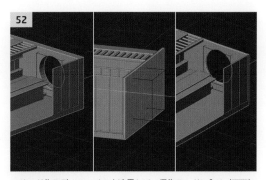

ソリッド化モディファイアを適用して、編集モードに入り（ Tab ）、壁の厚みを薄くしておく（ G → Y ）と全体的にメリハリがついてスタイリッシュに仕上がるでしょう。
適用→p.39

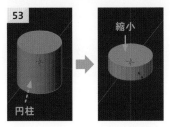

最後に、スツールを作成します。円柱を追加して（ Shift ＋ A ）、円柱だけを表示しましょう（ / ）。全体を小さくしておき（ S ）、その後、編集モードに入り（ Tab ）、上下方向に[縮小]します（ S → Z ）。

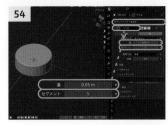

オブジェクトモードに戻り（ Tab ）、ベベルモディファイアを追加しましょう。モディファイアープロパティの「量」の値を0.05、「セグメント」の値を5にします。

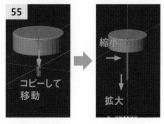

作成した円柱を[コピー]して（ Shift ＋ D ）、下方に[移動]しましょう（ G → Z ）。その後、XY軸にロックして[縮小]し（ S → Shift ＋ Z ）、上下方向に[拡大]します（ S → Z ）。

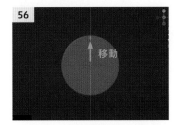

トップビュー、透過表示にして（ Alt / option ＋ Z ）、奥（画面上方）に[移動]しましょう（ G → Y ）。

ピボットポイントを3Dビューポートに変更して、この円柱を[コピー]・[回転]（ Shift ＋ D → R →60）します。

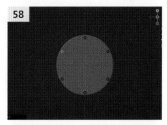

[4回繰り返し]しましょう（ Shift ＋ R を4回）。 Shift ＋ R が効かなかったという方は、一度最初の60度の回転コピーを取り消して、（ ctrl ＋ Z ）再度実施し、他の動作を挟まずすぐに Shift ＋ R を押してみてください。

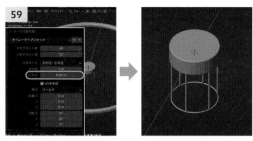

次に、スツールの脚の支えを作ります。トーラスを追加し（Shift＋A）、左下に現れるオペレーターパネルを開いて「小半径」を 0.01 にしましょう。その後、[縮小] して大きさを合わせます（S）。

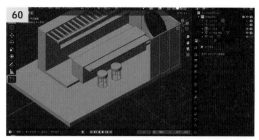

これらのオブジェクト全てを選んで、自動スムーズシェードを使用します（右クリック）。全体を表示して、位置を合わせたら（G）、一脚 [コピー] しましょう（Shift＋D）。

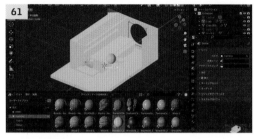

ここまで作成できたら、本書で作成したクッションや、アセットライブラリに保存しておいたオブジェクト・マテリアル等を配置して、マテリアルを設定していきましょう。

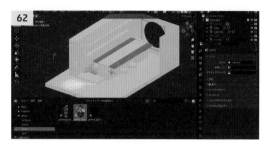

植物なども追加すると部屋らしくなります。

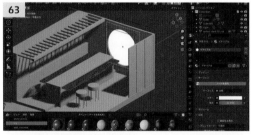

丸い窓の外には、放射の平面を置きましょう。
放射→p.98

使用したテクスチャ

今回使用しているテクスチャはこちらの3点です。
Wood 017 https://ambientcg.com/view?id=Wood017
Tile 040 https://ambientcg.com/view?id=Tiles040
Tile 045 https://ambientcg.com/view?id=Tiles045

最後に、レンダリングをして完成です！

YouTube

動画でもRecipeを確認

https://youtu.be/VFQrEhVQ2JU

ChatGPTをBlenderに導入しよう②

Column

（p.228の続きです）

Ｎを押して、GPT-4 Assistantを開きましょう。ここの「Enter youe message:」にプロンプト（指示）を入れるだけで、その通りにBlenderが操作を実行します。ここでは、「球体を追加」と入力したところ、球体が追加されました。

「GPT-4」での実行は有料プランへの加入が必要ですので、有料プランに加入していない場合には「GPT Model:」プルダウンで「GPT-3.5」を選択しましょう。なお、GPT-4で実施すると、より高度な指示が可能になります。

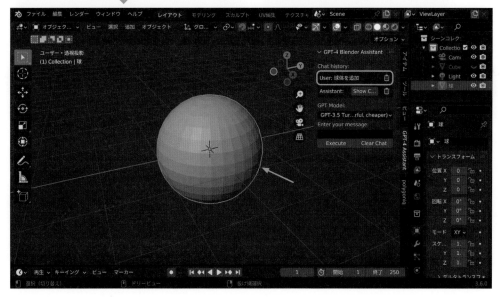

INDEX

■ 本書のサポートページ

https://isbn2.sbcr.jp/16236/

本書をお読みいただいたご感想を上記URLからお寄せください。
本書に関するサポート情報やお問い合わせ受付フォームも掲載しておりますので、あわせてご利用ください。

■ 著者紹介

<ruby>エム<rt></rt></ruby> <ruby>デ ザ イ ン<rt></rt></ruby>
M design

カタチの専門家・デザイナー。自動車デザイナーを経て、YouTubeにて、Blenderの初心者向け解説動画を100本以上公開。カタチを自在に操ることで、思考や表現の幅が広がる楽しさを伝えている。

YouTube: @Mdesign_blender
Twitter(X): @Mdesign_blender

作って学ぶ！ Blender入門

| 2023年 9月 7日 | 初版第1刷発行 |
| 2024年 10月 4日 | 初版第5刷発行 |

著　者	M design
発行者	出井 貴完
発行所	SBクリエイティブ株式会社
	〒105-0001 東京都港区虎ノ門2-2-1
	https://www.sbcr.jp/
印　刷	株式会社シナノ

カバーデザイン	別府 拓（Q.design）
本文デザイン	山浦隆史
制　作	クニメディア株式会社

Printed in Japan　ISBN978-4-8156-1623-6